知的生きかた文庫

結果を出す人は「修正力」がすごい！

大西みつる

JN104288

三笠書房

はじめに

修正力——40000人を劇的に変えた「最高の結果を出す」法

私は、人材・組織開発コンサルタントとして、大手有名企業を中心に研修を行ない累計40000人以上の管理職、ビジネスパーソンと向き合ってきました。

その経験上、言えるのは「結果を出す人ほど、修正力がすごい」ということです。

修正力とは、最高の結果を手に入れるために**「自分を柔軟に変える力」**のこと。「理想」と「現状」のギャップを埋める力とも言えます。

私が研修を行なってきた企業には、全日空、SMBCコンサルティング、アステラス製薬、ハウス食品、日本テレビ、キヤノン、スズキ自動車、NTTドコモ、江崎グリコ、アイシン、東京ガス、山善、デンソー、JCB、ネスレ日本……など、大手民間企業をはじめ、じつに様々な業種が入り混じっています。

しかし、業種は違えども、**「結果を出す人ほど、修正力がすごい」という特長は、**

ピッタリ一致しているのです。

考えてみれば、それも当然のこと。

なぜなら、**仕事の本質とは、「問題を解決すること」**にほかならないからです。

つねに、予定通り物事が進めば何も問題はありません。しかし、仕事では、急なスケジュール変更や、やり直しを余儀なくされたりすることが、頻繁に発生します。「理想」と「現状」のギャップを埋めるための作業が、日常的に求められるのです。

それに、たいていの場合、仕事に「これをすれば絶対」という正解はありません。**正解は「1つ」ではなく、つねに「複数の答え」が存在する**のが普通です。

その「複数の答え」の中から、正解と思われる「ベストな答え」を選び、結果がよくなければ修正し、新たに「ベストな答え」を選び直す……私たちにできることは、その作業を繰り返しながら、「正解」に限りなく近づくことだけなのです。

上手くいくことよりも、**上手くいかないことのほうが圧倒的に多い、それが仕事**というものなのです。

だから、仕事の結果と修正力の高さが比例するのは、当然の帰結です。

本書では、私自身の経験や企業研修で目にしてきた実例を豊富に取り上げながら、

「修正力を高めるコツ」を37個紹介します。一流の人にしかできない「特殊なもの」は1つもありません。

基本を見直し、小さな改善を重ねることで、大きな成果を得る――。

こうした、極めて現実的で、コストパフォーマンスの高い方法です。たとえば、

・PDCAは「Pから」ではなく、「**Cから**」始める
・「1時間単位」ではなく、「**45分単位**」で集中する
・「考えてからやる」ではなく、「**やりながら考える**」
・「熱意をこめて話す」ではなく、「**熱意を持って聴く**」

これを修正するだけでも、仕事パフォーマンスが上がります。

想像してみてください。修正力があれば、**「失敗」でさえ「成果」に変わる**……そう考えれば、もう何も恐れる必要はありません。

ぜひ、あなたらしいチャレンジを積極的に行ない、思う存分、仕事人生を楽しんでください。本書がその一助になれば、著者としてこの上ない喜びです。

大西 みつる

『結果を出す人は「修正力」がすごい！』もくじ

1章　結果を出す人は「修正する」のが、上手い

2章 この「小さな修正」が、「大きな成果」を生み出す

3章 「楽しく働く人」が、お金も時間も手に入れる

4章 「逆から考える」——失敗でさえ成果に変える法

5章 「体調を修正する」と、さらにパフォーマンスが上がる

6章 結果を出すリーダーは「チームをまとめない」

1章

結果を出す人は「修正する」のが、上手い

1 結果を出す人は「変える」前に「基本に返る」

人は変わりたくても、なかなか変われない――。

これまで私は企業研修などを通じて、数多くのビジネスパーソンとお会いしてきましたが、何度となくそれを痛感してきました。

多くの人が、いまより「もっと効率よく働きたい」「もっと成長したい」と願っています。にもかかわらず、人はなかなか変われないのです。

その主な原因は、たいていの場合、

現状と比べて「**大きく変わろうとしすぎる**」

ことにあります。もっと成長したい、もっと会社に貢献したいという意欲が高い人ほど、そうした傾向が強く見られます。

じつは、この**意欲の高さがくせ者**で、いままでのやり方をガラッと変えようとしたり、「あれもこれも」と、やることを増やしてしまう傾向があります。そのため、次第にやるのがおっくうになったり、プレッシャーを感じて行動に移せなくなったりして、結局、元のやり方に戻ってしまうのです。

「やる気はあるのに、実行が伴わない人」を、私は過去、何度も目の当たりにしてきました。そうした人に共通する傾向があります。

・完璧を求めようとする。
・「あれもこれも」と、欲張りすぎる。
・モチベーションの問題にすり替え、先延ばしする。
・できたことより、できなかったことを考える。

そもそも、「人は変化を嫌う生き物」です。恒常性（ホメオスタシス）といって、人間には「**変化に抵抗して、現状を維持しようとする**」働きが備わっているからです。

だから、何かを修正しようとする場合には、この人間の特性を踏まえたやり方で行なう必要があるのです。

修正力を発揮するコツは、３つあります。

1、基本を見直す。
2、小さく変える。
3、できることをやる。

何かを変えようとすると、すぐに「新しい方法」を取り入れようとする人が多いのですが、**じつはあまり効果的ではありません**。

そもそも、基本的な部分に問題がある場合が多いからです。

たとえば、仕事の段取り、スケジュール管理、机や資料の整理、上司への報告・連絡・相談、仕事相手に対する指示……。

こうした、基本の巧拙こそが、仕事の成果を大きく左右する要因です。

なぜなら、仕事の根幹を担う部分だからです。基本とは、いわば、「万人に共通する型」のようなもの。新人だろうとベテランだろうと、最も大切にすべきものです。

これまで私は、「基本がおろそかにされたことで、ミスや機会損失を招く事態」を多々目にしてきました。

いまよりもっと仕事の成果を高めたいのであれば、**まずは仕事の基本を見直すことが近道**なのです。

「小さく、コツコツ」だから、ムリもムダもない

いまより、もっといい結果を出すためには、「やり方を変える」ことも必要です。

ポイントは、やり方を大きく変えるのではなく、「**小さく変える**」こと。

前述したように、私たちは、いまより成長するために、意識や行動を大きく変えようとしてしまいがちです。

しかし、いきなり大きく変えようとしても、長続きはしません。それに、いままでのやり方を変えるのは、誰にとっても勇気のいることなのです。

だからこそ「スモールチェンジ（小さな改善）」――まずは小さく変えてみる。

これであれば、それほど抵抗感もなく、取り組むことができます。「やり方をほんの少し変える」だけでも、それを積み重ねていくことで、結果的に、大きな成長を遂げることができます。

人には、つい、面倒くさくなって、物事を先延ばしにしてしまう習性もあります。いきなり新しいことをやろうとしても、ハードルが高すぎて、難しいのです。

だから、まずは「**できることを確実にやる**」――。

そこから始めるのが、ハードルも低く、効率的です。具体的な行動に落とし込むためには、何をやるかをノートや手帳に書き出して、「見える化する」ことが大切です。

誰もがすぐにできることから始めて、「次はこうしよう、この点を修正してみよう」と、日々、スモールステップで成長していくことができます。

このように、修正力とは、「**小さく変える」ことによって、「大きな成果」を手に入れる**方法と言えます。

ここで紹介した3つのコツを実践することで、「**仕事のパフォーマンスを最大化する**」ことができるのです。

仕事パフォーマンスを最大化する法

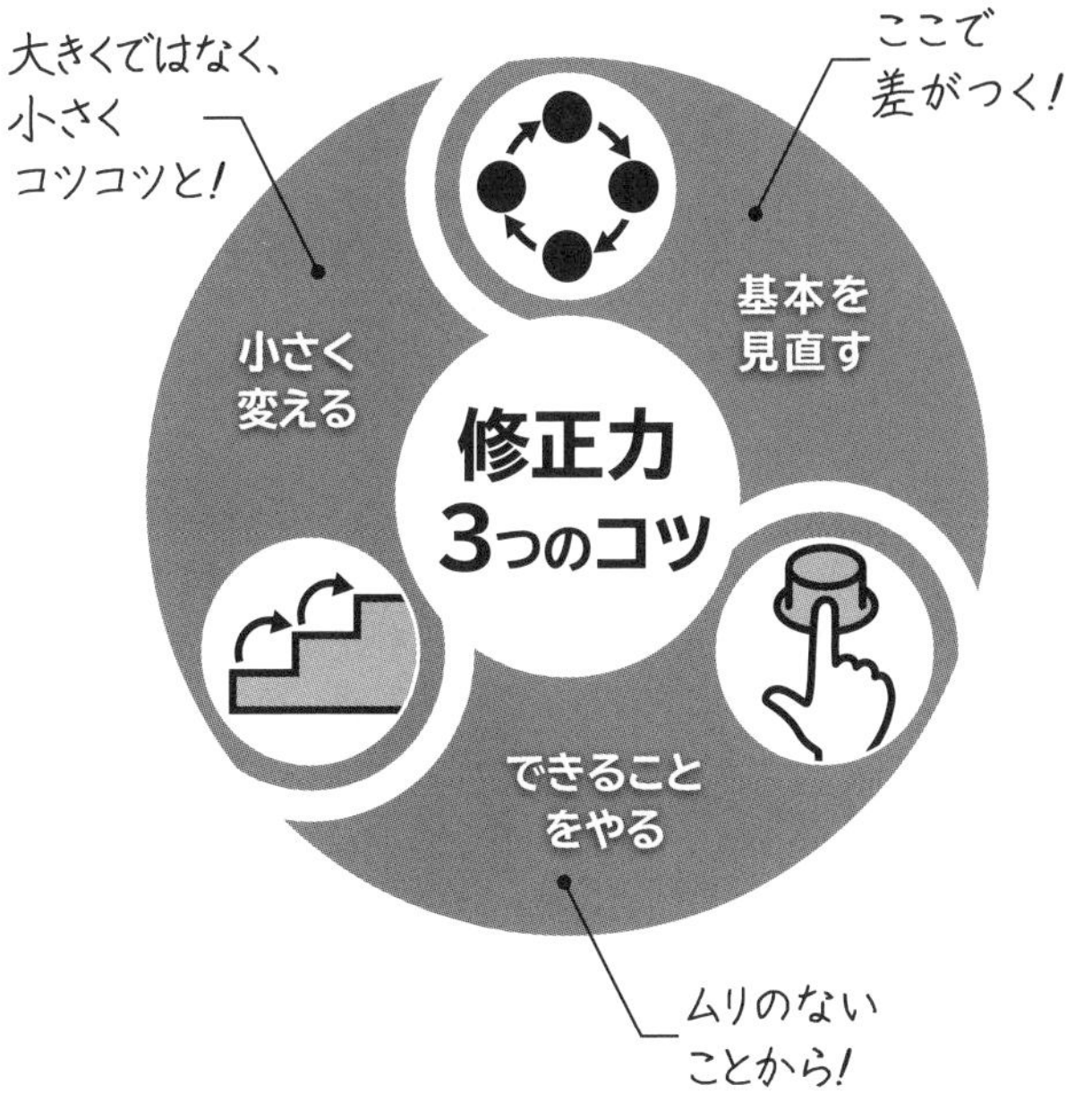

「小さな改善」で、
「大きな成果」を得る！

2

「完成度」より、まずは「スピード」最優先

仕事が速い人と遅い人では、仕事で重視する視点が違います。

具体的に言えば、**「スピード重視」か、「完成度重視」かの違い**です。

仕事が速い人は「スピード重視」で、まず仕事を終わらせることを最優先します。

日本のビジネスパーソンには、「完成度重視」の働き方をする人が圧倒的に多いです。

「仕事の完成度を高めるのは当たり前」という意識と行動が定着しています。

私は、この考え方を否定するつもりはまったくありません。より高い完成度を追求する日本人の姿勢が、高品質の製品を生み出す原動力となってきたのは間違いないですし、尊いものだと思います。

ただ、いまは変化のスピードがものすごく速い時代。ビジネス環境は目まぐるしく変わっています。もはや、**「時間はかかっても、完成度が高ければいい」という発想**

は通用しません。

それに、私たちは、複数の仕事をこなしていかなければなりません。その中で、どのようにして「生産性を高めていくか」が問われているのです。

今後、ますます仕事スピードの重要性が高まっていくのは間違いありません。

私は、ホンダ（本田技研工業）に在籍中、アメリカで現地の人材・組織開発に取り組んでいたことがあります。

アメリカ人の同僚たちの働き方を目の当たりにして、彼らが日本人とはまったく違う価値観を持って仕事に臨んでいることに、カルチャーショックを受けました。

アメリカ人は、徹底的に「**スピード重視の働き方をしていた**」からです。

彼らは、仕事のことを「**プロトタイプ**」という言い方をしていました。日本語で言うと「**仕事のたたき台**」という感じでしょうか。

たとえ50パーセント程度の完成度であったとしても、上司に報告したり、相談したりしながら、どんどん仕事を前に進めていきます。その都度、上司のアドバイスを受けながら仕事を進めていくため、最初は50パーセント程度であった完成度も、どんどん高まっていきました。

私は、**仕事のでき栄えを重視して、時間をかける日本人とは、明らかに違う効率のよい働き方**に舌を巻いてしまいました。

日本では、ある程度の完成度がなければ、上司に報告してはいけないという暗黙のルールがあります。しかし、結果として、そのような意識が仕事の効率、生産性を著しく低下させている大きな要因だということに、いい加減気づくべきです。

研修で指導する若手層は、仕事の完成度に重きを置きすぎる傾向があります。上司から仕事の完成度で厳しく評価されたくないという意識が働いてしまうことも手伝って、どうしても「仕事の完成度」にこだわってしまうのです。結果、肝心かなめの仕事の期日に間に合わないというケースが散見されます。

働き方改革を求められる中、**私たちが最も「修正」しなければならないのは、そうした仕事に対する旧態依然とした考え方**にほかなりません。

私自身、アメリカ人の効率的な働き方を目の当たりにして、「完成度重視」から「スピード重視」へと働き方を大きく修正していきました。

スピードを重視すると、完成度も高まる

誤解をしていただきたくないのは、「スピード重視だから完成度は低くていい」という訳ではありません。

仕事の「スピード」と「完成度」は、両立させることができるからです。

先ほどの、アメリカ人の働き方のように、完成度が高くない段階であっても、上司にどんどん相談をして、建設的な意見を取り入れていけばいいのです。そうすれば、仕事スピードを加速させると同時に、完成度まで高めることができるのです。

私の経験上、「スピード重視の働き方」をすると、仕事に対する集中力が格段に上がるため、**仕事の質（完成度）も、生産性も自然に高まる**と言えます。

だから私は、まず「今日やるべき仕事」と「明日以降でもよい仕事」を選別し、**「今日やるべき仕事」に集中して取り組む**ことをおすすめしています。

つねに「いま、何をやるべきか」を意識して、行動することが「仕事スピードを上げ、仕事の完成度を高める」ことにつながるのです。

ホンダには、「**3S**」という考え方があります。

「3S」とは、「**シンプル・集中・スピード**」の頭文字をとったものです。

時間は限られた資源です。この限られた資源をいかに有効に使うかが、仕事の効果・効率を高めるカギを握るという考え方です。

・シンプル……考え抜いた物事の本質、やらなければならないことを明確にする。

・集中……最も大事な目標を達成するために、最も必要なことに、資源と思考を集中する。

・スピード……すぐに実行する。

「今日やるべき仕事」と「明日以降でもよい仕事」を選別し、「今日やるべき仕事」が定まったら、集中して取り組むのです。

成果につながらないにもかかわらず、慣習として行なっている仕事は「捨てる」勇気を持つことも必要です。「やるべきこと」に時間と労力を集中するからこそ、仕事の成果を上げることができるのです。

まず、「たたき台」をつくり、質を高めていく

3

PDCAは「Pから」ではなく「Cから」始める

突然ですが、あなたに質問があります。

じつは**この質問によって、あなたの「修正力のレベル」がわかってしまう**のです。

Q　仕事でPDCAサイクルを使っていますか？

①ＰＤＣＡサイクルは、知っているけれど使っていない。
②ＰＤＣＡサイクルを、基本通りしっかり使っている。
③ＰＤＣＡサイクルを使っているが、「Ｐ」ではなく「Ｃ」から回している。

もちろん、仕事の経験年数によって、答えはおのずと違ってくるでしょう。

なかには、20代前半の新人のように、ＰＤＣＡサイクルという言葉自体を知らない人もいると思います。

ＰＤＣＡサイクルとは、**「Plan（計画）」「Do（実行）」「Check（評価・検証）」「Action（改善）」**の４つを繰り返すことで、業務を改善・効率化していくビジネスメソッドのことです。

さて、先ほどの質問に戻ると、この３つの選択肢のなかで、②の「基本通りしっかり使っている」を選んだ人が、圧倒的に多いと思います。

まずは、目標を設定し、具体的な「計画」を立てます。そして、計画通りに「実行」し、それを「検証」したうえで、「改善」につなげていく。

こうした４つのプロセスをきちんと繰り返していけば、もちろん効果はあります。

ただ、現実には、**この４つのプロセスがきちんと機能しないことが多い**ようです。

みなさん、「Ｐｌａｎ（計画）」と「Ｄｏ（実行）」には、多くの時間を割きます。

ところが、肝心のその取り組みが「どの程度の効果を上げたのか」「期待通りの効果を上げなかった原因は何なのか」を、きちんと「Ｃｈｅｃｋ（評価・検証）」し、「Ａｃｔｉｏｎ（改善）」まで落とし込むところまでいかないことが問題なのです。

私が理想とする答えは、ズバリ③です。

私は、これまで数多くのビジネスパーソンにPDCAサイクルの回し方を指導し、実際に効果を検証してきましたが、③の方法が一番確実で、効率的と断言できます。

「C」から始めるPDCAサイクルを私は、**「CAP‐Doサイクル」**と呼んでいます。

まず現状をしっかりと「Check（評価・検証）」します。

次に、問題点を洗い出して「Action（改善）」を考えます。

その改善策を実行するために、きちんと「Plan（計画）」を立て、「Do（実行）」するのです。

「問題点」がわかるから、「修正点」も見えてくる

「CAP‐Doサイクル」の手順について、具体例を挙げながら説明しましょう。

たとえば、新規顧客への営業訪問が、目標とする月12件に到達していない、という課題があったとします。

今月の目標……「新規顧客へ営業訪問12件の達成」

「C」……現状は、新規顧客営業訪問数10件（2件は未達）。目標達成率83％。検証した結果、第1週目にテレアポ活動が低調になり、後手に回ってしまった。月末に営業訪問が集中してしまう傾向があることがわかった。

「A」……第1週目から計画的にテレアポを行ない、確実に訪問へとつなげていく。

「P」……来月は、新規顧客への営業訪問12件を必達する。必達のために、テレアポ活動を集中的に行なう（毎週、水曜〜金曜日に2時間ずつ、テレアポタイムを設ける）。

「Do」……計画にもとづき、確実にテレアポを行なう。計画通りに実行できたかどうかを、毎週月曜日にチェックする。

仕事ができる人ほど、「本当に効果的だったのか」を徹底的に評価・検証します。仮に、実行したことが効果的でなかったとしたら、その**原因を明確にしない限り、改善策も見えてこない**からです。

逆に、仕事ができない人は、自分が実行したことに対する「Check（評価・検証)」がなおざりになっていることが多いです。つまり、「やればやりっぱなし」の状態にして、次の行動に移るため、同じようなミスを繰り返したり、やり方の改善ができなかったりするのです。

企業研修の現場では、参加者に自分の仕事内容を「CAP-Doサイクル」でチェックしてもらうのですが、**自分の仕事に対する評価が甘い人が多い**印象を受けます。

自分が「何ができていて、何ができていないのか」をきちんと把握できていない人が多いのです。

だから、具体的な打ち手である「Action」につながっていかないのです。

上手くいかなかった原因を明確にしないまま、「次はがんばります」「もっと気合いを入れてやります」などと精神論を唱えるだけでは、上手くいくはずがありません。

冒頭の質問で①の「知っているけれど使っていない」を選んだ人も、②の「基本通りしっかり使っている」を選んだ人も、今日からPDCAは、「P」からではなく、「C」から始めるやり方に修正をしてください。

必ず、仕事の成果が上がるはずです。

「PDCA」より「CAP-Do」が確実!

CAP-Doサイクル
現状の問題点や
成果の見直しから
始める。
Check
評価・検証
Action
改善
改善策を
考える。
Plan
計画
改善策をもとに
目標達成の
計画を立てる。
Do
実行
計画を
実行する。

改善策を確実に実行できる!

4

仕事には「準備運動」と「整理運動」が不可欠

仕事で結果を出す人の共通点は、「時間の使い方が上手」だということです。
それも、**仕事の「はじめ」と「終わり」の5分間を効果的に使っています。**
その時間に何をするかというと、次の2つのことをするのです。

仕事「はじめ」の5分間……今日1日の計画を立て、仕事モードに切り替える。
仕事「終わり」の5分間……今日1日を振り返り、修正点を探す。

仕事「はじめ」と仕事「終わり」のルーティンを取り入れることで、「オン・オフ」の切り替えがすぐにできます。それが、仕事の生産性アップにつながるのです。
朝、出社してデスクに向かうなり、パソコンの電源を入れ、すぐにメールのチェックをしたり、仕事を始めたりする人が少なくありません。

これは、**準備運動もしないで、いきなり運動をするのと一緒**。頭も体も「仕事モード」に切り替わらないまま、段取りもつけずに手探りで仕事を始めるようなものです。

非効率なうえに、ミスも起こりやすくなるため、いますぐやめましょう。

朝、デスクに向かったら、今日1日の計画を立て、頭も体も仕事モードに切り替えることが大切です。

コツは、**仕事はじめの5分間で行なう「ルーティン」をつくる**こと。

ルーティンとは、「毎回行なう決まった行動」のことです。毎回同じ行動をとることで、仕事に集中しやすい意識をつくることができます。

デスクに向かったら、「コーヒーを飲む」「深呼吸を3回する」「机の上を片づける」……といったように、なんでも構いませんので、自分なりに仕事モードに意識を切り替えやすい行動を1つ、つくってみてください。

その行動をした後に、「今日1日の計画」を立てます。仕事の段取りを確認して、大まかな時間配分を決めて、やるべきことを明確にしたら、パソコンの電源を入れる、といった具合に、**仕事を始めるまでの一連の行動をルーティンにする**のです。

毎朝、仕事を始めるまでの行動を習慣づけることで、集中して仕事に臨めるようになります。感情のブレが起こりにくくなり、モチベーションを保つこともできます。

朝、仕事「はじめ」に行なうルーティンを整理してみましょう。

1、**「コーヒーを飲む」**……頭と体を「仕事モード」へ切り替える。ほかにも、「深呼吸を3回する」「机の上を片づける」など、自分なりの方法でOK。

2、**「今日1日の計画」を立てる**……仕事の段取りを確認して、大まかな時間配分を決める。

3、**パソコンの電源を入れ、仕事を始める**……やるべきことが明確になるので、集中して仕事に取り組める。

必ず、この順番で行なうことがポイントです。1日の時間配分を決めないうちから、パソコンに電源を入れて仕事を始めてしまうと、必ず段取りが狂います。

ちなみに、私は、まず「**ハンドクリームを塗る**」ことによって、頭と体を仕事モードに切り替えています。**においは大脳を直接刺激する**効果があります。集中力が高まる柑橘系のにおいがするハンドクリームを使用して、意識を高めているのです。

簡単にできるうえに、じつはかなり効果的な方法です。あなたも、よかったら試してみてください。

最後の5分で「今日できたことを振り返る」

同様に、仕事「終わり」の5分でも、ルーティンをつくり、実行します。

仕事が終わる5分前に、パソコンの電源を切り、今日1日を振り返るのです。

1日を振り返る際のポイントは、まず「今日できたことを振り返る」こと。

1日の「仕事の達成感」「仕事で得た教訓」などを確認することで、自己効力感を高めることができます。自己効力感とは、「自分もやればできる」という前向きな心理状態のことです。それにより、挑戦意欲や行動力を強化することが可能となります。

次に、「今日1日をやり直すなら、どうするか」を考え、修正すべきことを箇条書きにします。

最後に、頭と体を仕事モードからプライベートモードに切り替える行動を行ない、退社します。

1、仕事が終わる5分前にパソコンの電源を切る。

2、今日1日を振り返る……まず、「今日、できたこと」を振り返る。次に、「今日1日をやり直すならどうするか」修正点を考え、箇条書きにする。

3、「コーヒーを飲む」……頭と体を「プライベートモード」へ切り替える。「深呼吸を3回する」「机の上を片づける」など、自分なりの方法でOK。

私は仕事「終わり」でも、ハンドクリームを塗っています。ただし、朝とは違い、1日のストレスを緩和するために、気持ちを落ち着かせるラベンダーのにおいのするハンドクリームを活用しています。

ルーティンは「自分オリジナル」で楽しみながら行なうことです。少しずつやり方を修正しながら、あなたのベストをつくっていきましょう。

5

「整理」「整頓」「清掃」「清潔」「しつけ」＝「生産性」

仕事の生産性を高める基本となるのが「**5S**」です。

5Sとは、「**整理**」「**整頓**」「**清掃**」「**清潔**」「**しつけ**」の5つのこと。

「そんな初歩的なこと」と思った人は、ぜひ本項をお読みいただきたいと思います。

整理整頓から始まる5Sは、個人や組織の**生産性を高めるうえで、最も効率的な方法**だからです。

5つのSについて、簡潔に説明しましょう。

整理……「必要なもの」「不要なもの」を分類し、不要なものを捨てること。

整頓……「必要なものを、必要な時に、すぐ使える」ように、置き場所や配置方法を決めておくこと。

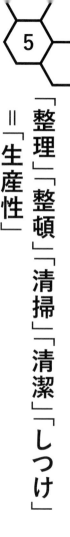

清掃……掃除をしてムダなものをなくし、きれいな状態にすること。
清潔……整理、整頓、清掃によって、きれいな状態を保ち続けること。
しつけ……職場の方針やルールを守り、それを習慣にすること。

私が研修を担当している**「ハウス食品」では、この5Sを徹底することで生産性を高めることに成功**しています。

ハウス食品の生産現場では、たとえば「清潔」に対する行動として、すべての手洗い場にタイマーを設置して、「手洗い」を30秒間行なうことをルール化しています。
食品メーカーとして、「安心」と「安全」を担保する1つの手段として、手洗いを習慣づけているのです。

当たり前のことを当たり前に終わらせず、**基本を「徹底」して行なうその姿勢こそが、ハウス食品を100年以上続く優良企業に成長させた**――そう言っても過言ではありません。

ところが、ハウス食品のように、5Sを徹底している企業ばかりではありません。

「5S」で机周りも頭の中もスッキリ!

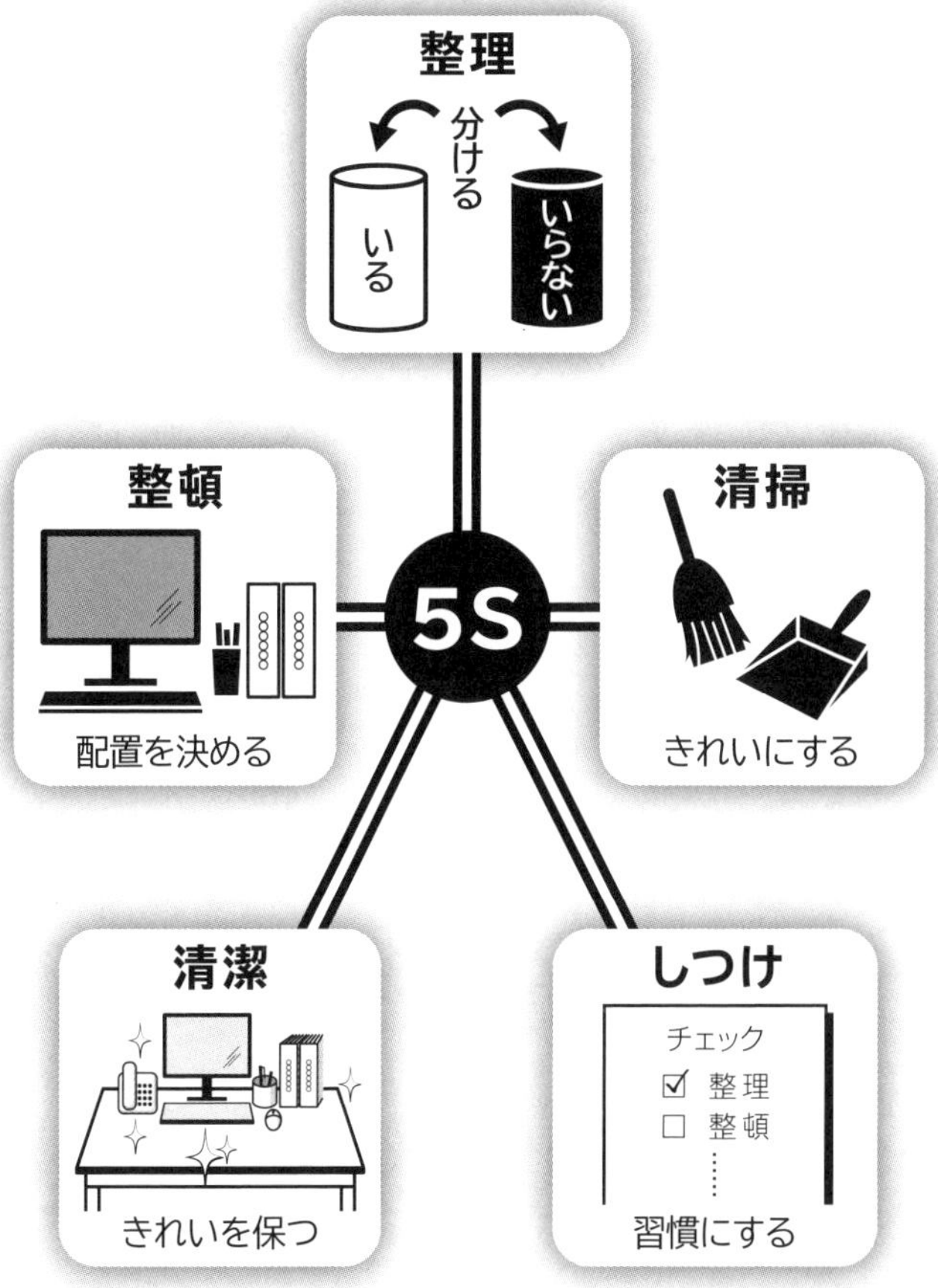

企業研修では、5Sをなおざりにしているケースをよく見かけるのです。

5Sを大切にしようという掛け声はあるものの、いかんせん実行が伴いません。

たとえば、研修会場で昼食の時間になると、テキストや資料を机の上に乱雑に放置したまま食事に出かけてしまう。

研修が終わると、自分が飲んだペットボトルを机の上に置きっぱなしのまま、椅子もバラバラの状態で部屋をあとにする……。

信じられないかもしれませんが、実際にこうしたことが、頻繁に見られるのです。

ほんのちょっとした行動です。

しかし、それが積み重なれば、やがては大きなほころびとなって、時間のロスや、仕事のミスにつながります。

事実、彼らの行動を観察していると、やはりムリ、ムダが多く、生産性が高い働き方をしているとは、けっして言えないのが現状です。

どの企業でも、いまより仕事の生産性を向上させることが最大の課題でしょう。

まずは5Sを見直し、それを徹底することから始めましょう。

月曜日の朝に「5Sタイム」をつくる

ここで、5Sを上手く実践するコツをご紹介します。

デスクワークの場合、理想は、「机の上に何もない状態」をつくり出すことです。**「今日の仕事は今日、片づける」**を意識して、業務が終了する際に、「整理」「整頓」「清掃」「清潔」を習慣にすることです。

私が企業で管理職をしていた時は、毎週月曜日の朝にチームメンバー全員で**「5Sタイム」**をつくり、メンバー全員で取り組んでいました。

なぜ、月曜日の朝かというと、土日が休日のため、月曜日の朝はどうしてもテンションが低く、仕事モードに切り替わりにくいからです。

月曜日の朝、チーム全員で5Sを行なうことを習慣にする（しつけ）ことで、仕事に向かう意欲を高めるマインドセット（思考のパターン化）をしていたのです。

個人で行なう場合、次の行動を意識すると間違いないと思います

「机の上に何もない状態」を理想として、その状態に近づけることです。

① 整理する

・業務終了時に、「必要な資料」「不要な資料」に分け、不要な資料を捨てる。

・パソコンのフォルダを「しかかり業務」「完結業務」に分ける。不要なデータは捨てる。

・会社共有のフォルダがある場合、データをフォルダに移動する。

・付加価値がないムダな仕事をやめる。

② 整頓する

・ファイルや事務用品を同じ場所に置く。

・チーム内の共有フォルダをつくり、同じ場所にデータを保管する。

・仕事の段取りにムダがあれば、やり方を修正してみる。

③ 清掃する

・仕事の終了時に必ず、「清掃」してきれいな状態を保つ。

④ **清潔にする**

・整理、整頓、清掃によって、つねに机周りをきれいな状態に保てるように、業務終了時に見直す。

⑤ **しつける**

・毎週月曜日の朝15分間を5Sの時間と決め、習慣にする。
・チームのメンバーと、職場の「修正点」を話し合う。
・できることから変えてみる。

明日から5Sをぜひ、実践してみてください。

生産性を高めるためには、極限まで仕事の「ムダ」「ムリ」「ムラ」を少なくすることが求められます。5Sは、それを実現するための「基本中の基本」だということを忘れないでください。

6

報告は「丁寧な説明」より「結論をシンプルに」

仕事では、「結論から話す」ことが大切です。

「結論」とは、**相手に伝えたい大事なこと**。「結論が伝わらなければ、コミュニケーションをする意味はない」、そう言っても過言ではありません。

しかし、企業研修の現場では、「結論から話す」ことが苦手な人を大勢見かけます。

「人材育成」について、多くの企業に共通している課題は、「**若手層の主体性の低さ**」です。企業が新卒の選考で最も重視する力は何かと言えば「主体性」です。主体性を重視して採用しても、現場では、「主体性のない若者」が目立つのです。

そうしたこともあり、私が若手メンバー向けに研修を行なう場合、主体性を重視したコミュニケーションを指導するようにしています。そこで最も重視しているのが、この「結論から話す」ということです。

結論をしっかり話せないと、相手に「考えていない印象」を持たれてしまいます。

たとえば、上司に報告をする場合、必ず「伝えるべき大切なこと」があるから報告をするわけです。その「伝えるべき大切なこと」こそが結論です。

しかし、結論が曖昧《あいまい》だと、聞いている上司にとっては、**「いったい何を言いたいのか、さっぱりわからない」**報告になってしまうのです。

若手層の場合、まだ自分の仕事に自信が持てないことが多く、つい、話し方も遠慮がちになってしまうのかもしれません。

だからこそ、余計に、結論をしっかり話すように意識することが大切です。

ポイントを整理しましょう。

1、まずは、「結論」を話す。
2、次に、「論拠」を伝える。
3、具体的に「説明する」。

この3ステップで組み立てると、論旨が明確なわかりやすい話し方になります。

「結論は1つに絞る」とわかりやすい

次の2つを比べてみてください。どちらが相手に伝わる話し方でしょうか？

A君：「私は、週に一度、職場メンバーで5Sを行ないたいと考えています。5Sを行なうことで、職場の生産性はもっと上がるはずです。現状では、書類がきちんと項目ごとに整理されていないため、時間のロスが出ています」

B君：「書類が整理されていなくて、生産性も上がらず、仕事のロスも出ていて、5Sを週のどこかでみんなでやるとか、何かやらないと仕事が上手く回らないような感じがするのですが……」

B君の報告は、話にまとまりがなく、「結局何を伝えたいのか」結論がよくわからない典型的な例です。

結論から話さないと、「相手は、いったい何をすればいいのか」がよくわかりません。相手に行動を促すだけの、強いインパクトを与えることができないのです。

B君の報告がなぜ、わかりにくいのかというと、「たくさんのことを一度に伝えようとして、結論がきちんと表現されていない」からです。

聞き手側がいくら話を聴こうとする態度であったとしても、論点が定まっていない話し方では、理解ができないのです。

結論は、相手に「**本当に伝えたいこと1つに絞る**」ことを意識しましょう。

A君の報告では「職場メンバーで5Sを行ないたい」というのが結論です。

「結論から話す」方法は、英語の語順をイメージするとわかりやすいと思います。

He is a boy who likes playing baseball.（彼は野球が好きな少年です）

「彼は少年です」と結論を先に言ってから、「野球が好きな」というふうに、あとから説明しています。自然と「結論から話す」語順になっているのです。

仕事では「結論から話す」。この基本を徹底してください。

7

「熱意をこめて話す」ではなく「熱意を持って聴く」

仕事では、コミュニケーション能力が大きくものを言います。

いまや、連絡をメールで済ませようと思えば、できてしまう時代。一昔前と比べて、「フェイス・トゥー・フェイス」での打合せの機会が減少している人も多いでしょう。

とはいえ、よほど特殊な職種でもない限り、**人とコミュニケーションをとらずに仕事が成り立つという人は、ほとんどいない**と思います。

社内で上司や同僚との人間関係を築くためにも、お客様との取引を円滑に行なうためにも、コミュニケーション能力は重要なスキルであることに、変わりはないのです。

これまで私は、数多くのビジネスパーソンを見てきましたが、結果を出す人ほど、コミュニケーション能力が高いと言えます。

誤解をしてほしくないのは、「結果を出す人は話し上手だ」と言いたいわけではあ

りません。そうではなく、

結果を出す人は、「例外なく聴き上手」だと言いたいのです。

もちろん、話題が豊富で、場を盛り上げられる人は魅力的です。論理的に話す人は、理知的な印象を与え、説得力があります。

ただ、私の経験上、**仕事では「話す力」より「聴く力」のほうがより重要性が高い**と断言できます。なぜなら、「相手の話を聴いてから始める」のが、コミュニケーションの鉄則だからです。

仕事では、相手と「信頼関係」を築くことが大切です。上司、先輩、同僚、取引先の相手、お客様……仕事で接する人は立場も年齢も性別もみんなバラバラです。

そうした様々な立場の人と信頼関係を築くためには、相手の気持ちや考え方、価値観といったものを理解しなければ不可能です。

だからこそ、コミュニケーションにおいては、相手の話を聴く姿勢が重要なのです。

私は、管理職向けの研修も数多く行なっています。

上司になると、部下に指示をすることが当たり前になります。そのため、ともすれば、「指示命令」が中心の一方的なコミュニケーションになりがちです。

そこで研修では、まず「部下（メンバー）の話をしっかり聴いていますか？」と質問をすることから始めるようにしています。

管理職の方たちから返ってくる答えは、だいたい決まっています。

「効率を重視しているので指示命令が中心」

「世代が違い、話が合わないため、ムダな会話はしない」

こうした理由から、部下の話をしっかり聴く機会が圧倒的に不足しているのが現状です。自分中心のコミュニケーションスタイルになっているのです。

本来のリーダーシップとは、指示命令だけでなく、「**納得**」と「**共感**」によって人を率いていくものです。

そもそも、「指示命令」が上手く機能するためには、つまり、人を動かすためには、上司と部下の信頼関係が不可欠です。信頼関係を築くためには、相手の話を積極的に聴こうとする姿勢、「聴く力」が必須なのです。

研修で管理職の方たちにアドバイスするのは、次の方法です。

1、人は、納得し腹落ちしないと行動に起こしにくいことを理解する。
2、まずは、「君なら、この状況でどうすることがベストだと思う?」と尋ねる。
3、部下の意見に対して、アドバイスを行ない、部下の意見を強化する。
4、部下がやり方や進め方がわからない場合は、具体的に教える。その後、相手の理解度を必ず確認する。

コミュニケーションは、**一方通行ではなく、双方向で行なう**こと。

それによって、「コミュニケーションギャップ」を防ぐことができます。「コミュニケーションギャップ」は解釈の違いにつながります。部下が誤った行動をとることを未然に防ぎ、機会損失を防ぐ意味でも、効果的な方法です。

信頼される人は「目で聴き、耳で聴き、心で聴く」

相手の話を「聴く」ためのコツをご紹介しましょう。

相手の話に積極的に耳を傾けることを、「**アクティブリスニング（積極的傾聴）**」といいます。相手の話を注意深く聴いている姿勢を、「言葉」と「態度」で表すことで、相手が話しやすい状態をつくることです。

私たちはあまり、自分の表情やしぐさなど、「言葉を使わないコミュニケーション（非言語）」に注意を払っていません。アクティブリスニングでは、その非言語コミュニケーションを意識することが大切です。

アクティブリスニングのコツは、次の4つです。

1、相手の話に耳を傾けて、最後までしっかりと聴く。
2、相手の話を途中でさえぎらない、否定しない。
3、表情やしぐさ、声のトーンなど、相手の様子に注意を払う。
4、相手の言葉を受け止め、理解し、共感する。

「聴」という漢字は、「耳」「目」「心」の3つの漢字から成り立っています。相手の話に耳を傾け、相手の考えを引き出し、理解することを心掛けましょう。

2章

この「小さな修正」が、「大きな成果」を生み出す

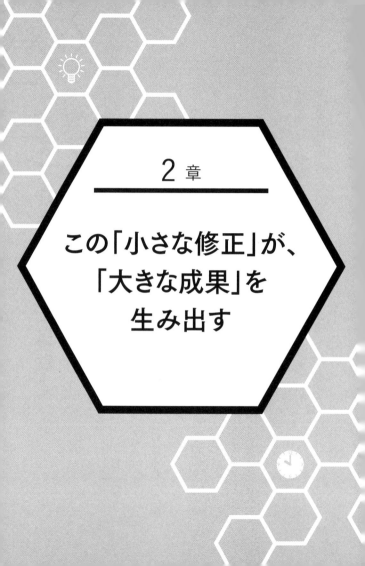

1 「考えてからやる」ではなく「やりながら考える」

結果を出す人は、先延ばしせずに、**「すぐ決断し、すぐやる」**ことが特長です。

忙しいビジネスパーソンにとって、「時間」は最も貴重な資源。その限られた資源をいかに有効活用できるかが、仕事の成果を大きく左右するポイントです。

仕事を「先延ばしする人」と、「すぐ決断し、すぐやる人」とでは、おのずと結果に大差がつくのは明らかです。

もっと成果を上げたければ、「すぐ決断し、すぐやる」習慣を身につけることです。

先延ばしする人には、３つの共通点があります。

1、決定権は上司にあるため、お伺いを立てないと決められない。

2、原因分析ばかりに時間を費やし、自ら「課題設定」ができない。

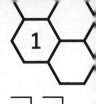

3、課題設定ができないので、「打ち手」が決められない。

すぐ決断し、すぐやるための条件が脆弱《ぜいじゃく》で、やたらと時間がかかるのです。検討にやたらと時間がかかるため、その間に、新たな問題が発生します。そして、施策まででき上がった時には、**お客様のニーズや職場のニーズとマッチしないものになってしまう**のです。当然、費やした時間や労力は、すべてムダです。

仕事では、「あれこれ考える」よりも「すぐ決断し、すぐやる」ことが重要なのです。

「すぐ決断し、すぐやる人」には、次の3つの特長があります。

1、つねに、自分の仕事について考える。

2、「最悪のシナリオ」も考えておく。

3、「デザイン発想法」で考える。

この3つは、私がホンダで学んだ仕事の進め方です。

ホンダでは、上司から「**走りながら考えろ！**」と何度となく指導をされました。「考える」ことはもちろん大切ですが、それ以上に、「すぐにやること」、そして、「小さく生んで、大きく育てる」方式に修正を繰り返しながら、仕事をどんどん前に進めていくのです。

普段から、自分の仕事について考えるとは、具体的に言えば、**自分の仕事に関連する情報収集をしっかり行なう**ということです。いざ決断を迫られた時に、集めた情報をもとに検討をし、すぐ決断することができます。

また、自分の仕事に対して「最悪のシナリオ」を考えるとは、失敗を想定して対応策を用意しておくということ。たとえ失敗をしたとしても、それをリカバリーできる準備ができていれば、決断に二の足を踏まず、すぐに走り出せるわけです。

「デザイン発想法」とは、わかりやすく言えば、**徹底的にお客様目線で考えること**です。お客様に満足していただくために、「自分たちは何をするべきか」を問い続け、課題を解決していくのです。

そもそも「デザイン」という言葉には、「意図する」「意味づける」という意味合いがあります。

最も重要なことは、**「仕事に意味を持たせる」**ことなのです。

「何のために、誰のために」と「人」を中心として、課題解決を行なわなければ、お客様が喜んでくださる提案はできません。

「お客様目線で考える」と、やるべきことが見えてくる

デザイン発想法の具体的アプローチはシンプルです。

1、「お客様目線」で、徹底的に仕事の意味と提案を考え抜く。
2、「なぜ、その提案が必要か?」と何度も問い続ける。
3、数値データ以上に「感情値」「定性データ」（感覚的な情報）を重視し、仮説を立てる。
4、提案が違っていた時に、やり直すことを恐れない。
5、迷ったら、お客様の意見を聴いてみる。お客様との対話を繰り返す。

仕事をすぐやる人は、デザイン発想法でどんどん仕事を前に進めていきます。お客様は私たちの「苦労賃」を支払ってくれるわけではありません。お客様のニーズの曖昧さを受け入れ、その中で最も重要だとされるものを見極め、**不確かな部分は仮説を立て検証していく**ことが重要なのです。

もし、仮説が間違っていた時は、それに固執するのではなく、すぐに仮説の問題点を見直し、新しい提案をするようにします。

この一連のプロセスを繰り返すことこそが、「考えるより、すぐやる」習慣につながります。

「デザイン発想法」では、数値化することが困難な感覚的な情報をとても大切にします。「完成形」に仕上げる前の、「たたき台」と呼ばれる状態で、お客様に提案を行ないながら、お客様の満足感（機能的な価値と感情的な価値）を確認しながら進めていく、合理的な考え方です。

2

「1時間単位」ではなく「45分単位」で集中する

「今日やるべきこと」を確実にクリアするコツがあります。

時間と労力の「ムリ、ムダ、ムラ」を徹底的に省き、効率的に働く方法です。

そのコツは、次の2つです。

1、「今日やるべきこと」「やらないこと」を分けて、1日をシンプルにする。

2、仕事を「45分単位」で区切って、集中力を上げる。

優秀なビジネスパーソンであればあるほど、やらなければならない仕事は増えます。

時間にはもちろん限りがあります。1つの仕事にかけられる労力にも、おのずと限界があります。

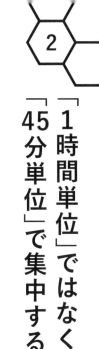

限られた時間、限られた労力で、いまよりもっと成果を高めるためには、**「今日やるべきこと」に力を集中することが重要**です。

朝、出社して、今日1日のスケジュールを立てる際に、まずは「今日やるべきこと」「やらないこと」を分けるようにします。そして、より重要度（優先度）が高い案件から順番にこなしていくようにするのです。

結果を出す人ほど、「今日やるべきこと」「やらないこと」の線引きが上手です。1日の予定が**「やるべきこと」だけに整理をされているので、シンプル**なのです。そのため、寄り道をせずに、効率的に仕事をこなしていくことができます。

仕事の成果がイマイチな人ほど、「やるべきこと」「やらないこと」がゴチャ混ぜになっていて、線引きが曖昧です。だから、本来、やらなくてもいい仕事にムダな労力をかけたり、1つの仕事をダラダラと進めて時間をムダにしたりしがちなのです。

私が研修で指導をしたT君もその1人でした。

T君は、「やります！　できます！」と意欲は十分なのですが、仕事の期日を守れないことが課題でした。

彼の仕事ぶりを観察すると、メールを書く作業にムダな時間と労力を費やしていることがわかりました。

たとえば、別の階にいるスタッフに対し、Ａ４サイズ1枚にも及ぶ長文をダラダラと書きつらね、メールを送るのに30分もかけていたのです。

相手が社内にいるのですから、直接話をしに行くか、電話をすれば済む問題です。

メールで用件を伝えるにしても、要点を整理すれば、短文で済むはずです。

私は、Ｔ君にそのことを伝え、「メールは長くて8行まで、要点を整理して伝える」というルールを守ってもらうようにしました。

「45分集中↓15分見直し」を1セットにしよう

仕事の効率を上げるためには、「集中力を上げる」ことが大切です。

集中力の研究では、「30分単位（25分の作業＋5分の休憩）」が効率的と言われています。これは「ポモドーロ・テクニック」というタイムマネジメント手法です。

ただ、私の経験では、「30分単位（25分の作業＋5分の休憩）」では短すぎると感じています。集中力が高まり、作業のスピードがどんどん高まっている途中で「タイムオーバー」となってしまうことが多々あったからです。

結局、時間を延長して、同じ仕事を続けるということが、繰り返されました。

私のおすすめは、**「仕事を45分単位で区切る」**ということです。

1日の仕事を「45分ごとのかたまり」にして分けて、その「かたまり」ごとに目標を設定して、取り組む方法です。1つの仕事を、

1、45分間集中して取り組む。
2、15分程度で見直しをする。
3、次の仕事に移る。

この一連の流れを「ルーティンにする」と、仕事の効率がどんどん上がります。

私の場合は、企画を考える仕事が中心ですので、45分単位がベストです。

ただ、職種の違いや、人によって集中力が持続する時間にも差があるため、自分なりのベストの時間を見つけてみてください。

T君の場合は、「仕事を35分単位で区切る」のがベストのようでした。

「45分集中して15分で見直す」を繰り返す

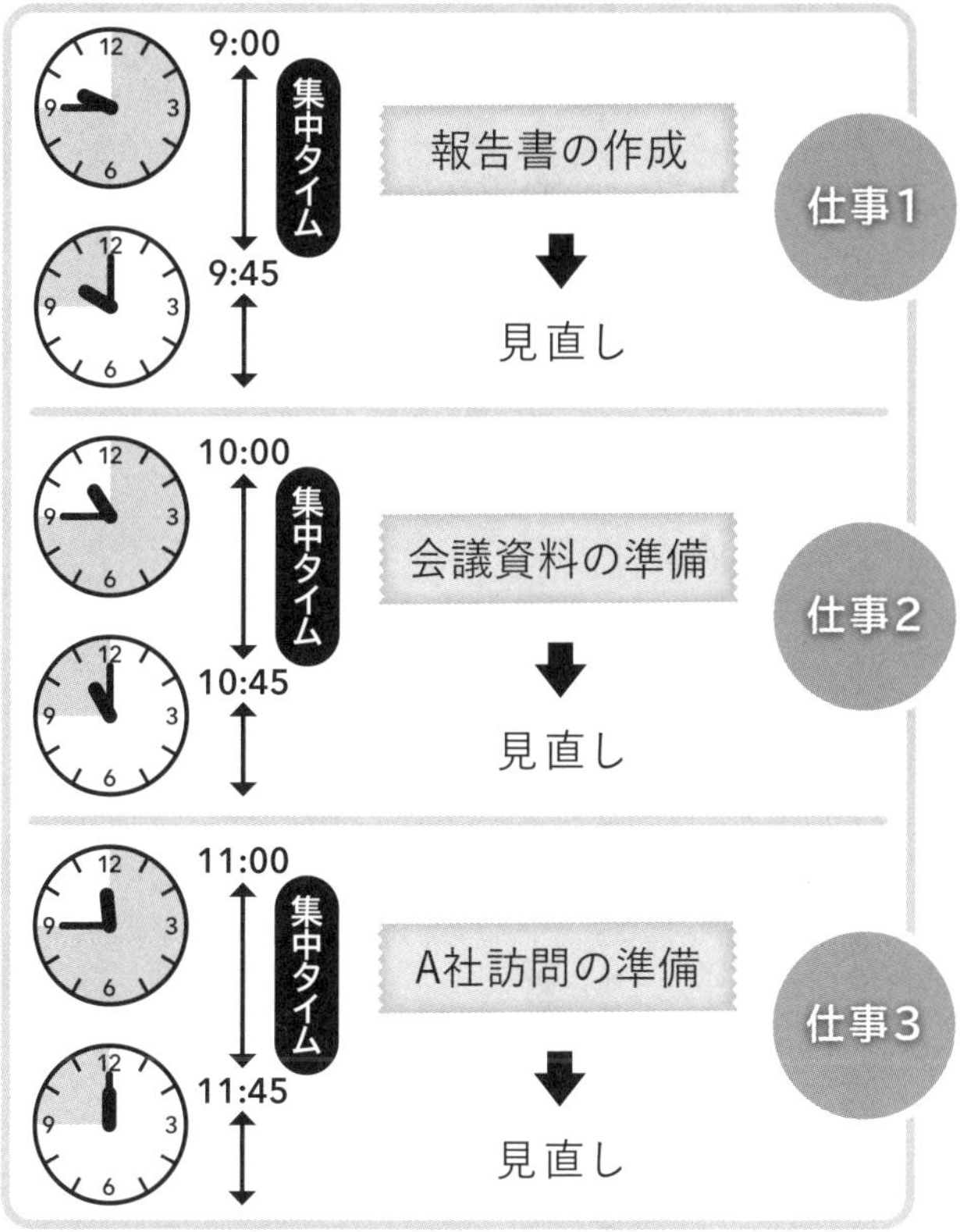

集中力が上がり、効率アップ!

メールにムダな時間と労力をかけることをやめ、「仕事を35分単位で区切る」というルールを徹底することによって、T君の仕事ぶりは、見違えるように変わりました。

それまで、漫然と仕事をしていたのが、「35分単位」という明確な期限が設定されたことで、集中力が高まり、仕事スピードが格段に上がったのです。

T君は「仕事の期日を守れない」という課題を難なくクリアして、いまではエース社員として活躍しています。

どんなに優秀な人であろうと、1日中、高い集中力を保っていることなどできません。集中力には限界があるのです。

大切なのは、**集中力の「オン」と「オフ」のメリハリをつける**ことです。

まずは、「今日やるべきこと」「やらないこと」を分けて1日をシンプルにして、「今日やるべきこと」を明確にしましょう。

そして、今日やるべきことは「45分ごとのかたまり」にして、1個1個集中して取り組んでいくのです。

それが、「今日やるべきこと」を確実にクリアし、仕事の成果を上げるコツです。

3

5点、3点、1点——仕事の優先順位は「3段階で決める」

私たちは日々、数多くの仕事をこなすことが求められています。

仕事を効率的に終わらせるために、どのように優先順位をつけるか、頭を悩ませている人もいるでしょう。

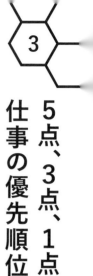

私の場合、**状況に応じて、次の2つの方法を柔軟に使い分けています。**

1、「緊急度」「重要度」「リスク度」で仕事を数値化して、優先順位をつける。

2、仕事の優先順位をつけずに、目の前の仕事をどんどん片づけていく。

複数の仕事に優先順位をつけるためには、基準が必要です。一般的に言われているように、「緊急度」「重要度」「リスク度」の3つの基準で点数をつけていき、合計点数の高さで優先順位を決めます。点数は「5点、3点、1点」の3段階評価です。

「緊急度」……その仕事の、時間的な切迫度。
「重要度」……その仕事が、自分と職場に与える影響の大小。
「リスク度」……その問題の拡がりと、リスクの大小。

この3つの基準から、最も緊急度の高い仕事は5点、最も緊急度の低い仕事は1点という具合に、点数をつけていくのです。緊急度、重要度、リスク度の3つの基準で5点がついた仕事が、最も優先順位の高い仕事ということです。

私は、比較的に時間に余裕があり、仕事の全体像を俯瞰《ふかん》して見たい時には、1の「仕事を数値化して優先順位をつける」方法で仕事を行なっています。

忙しい時は「目の前の仕事を片づける」のがコツ

ただ、やることが非常に多く、時間的に切迫した状態の時は、あえて、仕事の優先順位はつけずに、**「目の前の仕事をどんどん片づける方法」にシフトチェンジする**ようにしています。

私の場合、「走りながら考えるタイプ」なので、多忙を極める時は優先順位をつけずに、**目の前の仕事を片づけていくほうが、かえって仕事がはかどり、効率的**なのです。

仕事の漏れがないように、「やることリスト」に、やらなければならない仕事をすべて書き出します。そして、片っ端から片づけていくのです。

「やることリスト」から仕事が消えていくたびに達成感が味わえるので、モチベーションも上がり、仕事のスピードがどんどん加速していきます。

どの仕事が緊急度や重要度が高いのか、リスクの度合いが高い仕事は何かが、肌でわかり、自然に選別できるようになるには、経験が必要です。

最初は、優先順位がつけられなくても大丈夫です。経験を積みながら、何度も優先順位のつけ方を実践していくうちに、自然と身につきます。

優先順位をつけるのが苦手な人には、特徴があります。

それは、**上司から依頼された仕事を最優先する傾向が強い**ということです。

上司から頼まれた仕事が、必ずしも「緊急度」や「重要度」が高いとは限りません。

よくよく聞いてみたら、「急ぎの仕事ではなかった」というケースがよくあります。

上司から頼まれた仕事は、必ず、「いつまでに仕上げればいいか」と期日を確認することが大切です。私の経験上、「緊急度」の度合いが下がる可能性は高いです。

ただ、上司から何度も報告を求められる仕事は、上司がそれだけ重要視しているということ。そのような仕事は、優先順位が高い仕事と受け取ってよいでしょう。

相手とのやり取りの中で、仕事の優先順位を感じ取ることは大切な能力です。

どうしても仕事の優先順位をつけることができない人も心配はいりません。

「いま」に集中して、目の前の仕事を片っ端から片づけていってみてください。

「やることリスト」に仕事をすべて書き出して、どんどん片づけていくのです。

余計なことをあれこれ考えず、**目の前の仕事に集中できるため、効率も生産性も必ず上がるはず**です。

「仕事を数値化して優先順位をつける」「目の前の仕事をどんどん片づける」——。

どちらのやり方が「良い」「悪い」ではありません。肝心なことは、「仕事を早く終わらせること」です。状況に応じて、やり方を「修正」することが大切なのです。

優先順位は3つの基準で決める

緊急度 ―― その仕事の、時間的な切迫度。

重要度 ―― その仕事が、自分と職場に与える影響の大小。

リスク度 ―― その問題の拡がりと、リスクの大小。

3つの基準で優先順位を点数化

仕事	緊急度	重要度	リスク度	優先順位
A	5	3	3	11
B	5	5	5	15
C	3	3	3	9

これを最優先!

ルール
- 点数は「5点、3点、1点」の3段階評価。
- 最も緊急度が高い仕事は5点、最も緊急度が低い仕事は1点という具合に点数をつける。

↓

多忙な時は、目の前の仕事を片っ端から片づけていく!

4

結果を出す人は「5割主義」で企画、提案する

企画書を作成する際のポイントは、「5割主義」で行なうことです。

私が研修でそう言うと、必ず「そんなに手を抜いていいのですか?」などという質問が返ってきます。

誤解をしてほしくないのですが、**「5割主義」は手抜きとはまったく違います**。

企画書の作成も、提案も、全力で行なうことに違いはありません。

なぜ「全力」と言いながら、「5割主義」なのでしょうか?

企画書の目的とは、「**あなたの提案を通す**」ことにあります。

ただ、企画の内容が、重要であれば重要であるほど(たとえば、会社の経営方針に関わるものなど)、その企画が一発で通ることはあり得ません。慎重に議論を重ね、決断をしなければならないため、差し戻し(RETURN)が頻繁に起こります。

そこで重要なのは、まず、議論をするうえで必要な「たたき台」を提示することです。企画書がたたき台のレベルまで達しているのであれば、その目的の50パーセントは達成されたと理解してください。

この50パーセントに達することが重要です。なぜなら、たたき台を提示して議論を行なうことによって、**「相手（決裁者、お客様）が求めていること」がわかる**からです。

残り50パーセントで、相手の意向を踏まえながら企画書をブラッシュアップして、ベストの案に仕上げていくのです。

そもそも仕事とは、相手との「**協働作業**」が基本です。相手、つまり、お客様（内部顧客、外部顧客）があっての仕事です。

お客様のためにならない提案は、しても意味がありません。お客様の意向を踏まえた提案でなければ、「していないも同然」なのです。

だから、企画書は、議論をするうえで必要な「たたき台」のレベルに達しているのであれば、OKとすべきだと私は思うのです。

これまで私は、仕事のメンバーに指示をする際、「まずは、企画案のたたき台をつくってほしい」と言ってきました。

なぜ、そのような指示の出し方をするかというと、「企画は一度の提案で承認をもらわないといけない」という間違った思い込みをしている人が多いからです。

私が経験をした事例でご説明しましょう。

経営会議で、ある人事企画の提案を行なった時のことです。私は、この企画を推進してきた担当者（部下）が、経営メンバー（役員）の前でプレゼンをする様子を見守っていました。

プレゼンが終了すると、役員からいくつかの指摘を受けました。そして、「企画を継続して検討し、ブラッシュアップしたうえで、再度、提案してほしい」、という結末になりました。

この結果に担当者はひどく落ち込み、上司の私に「あれだけ検討して、完璧だと思ってプレゼンしたのに……何がいけなかったのでしょうか」と質問してきました。

私は担当者に、「役員が何を考えているかがよくわかったね。次の企画提案のポイントや攻めどころがわかったので、良い場だったと思うよ。お疲れ様！」と声をかけ、ねぎらいました。

役員の発言から、「5割主義」の**残りの「5割」をブラッシュアップしていく勘所が理解できたのですから、「収穫」だと考えた**のです。

企画、提案を「修正」して完成形にする法

ここで「5割主義」で仕事に臨むための「修正」点をお伝えします。

1、基本を見直す。

仕事は、「GO（これでいこう）」「RETURN（差し戻し）」「STOP（中止・凍結）」が意思決定の基本行動です。企画提案のほとんどは、「RETURN」になると知ってください。

・「RETURN」は、仕事のプロセスの中での1つの行動と理解する。
・「RETURN」された根拠を明確にし、企画を練り直し、再提案する。
・自分目線ではなく、上司やお客様視点から考えてみる。

2、やり方を少し変えてみる。

「たたき台」を作成する基本は、「1枚がベスト」です。A4サイズで「表」と「裏」を使い、まとめましょう。いきなりパワーポイントで企画書を作成するのではなく、まずは、全体構想図としての「たたき台」を考えてから作成するようにしましょう。

・企画書は、次の手順で「たたき台」を作成する。

①企画の背景（なぜ、その企画を行なう必要があるのか）
②企画の目的（その企画が存在する理由のこと）
③企画内容（5W2Hを活用してわかりやすく表現する）
④資源要件（人・モノ・カネ・情報・時間の与えられている資源を明確化する）
⑤目標・ありたい姿（どんな状態をつくることができるのか）
⑥具体的な行動プラン（何をやるのかを具体的に示す）

・企画提案は、一度で承認されるという「意識」は捨てる。相手との協働作業であることを肝に銘じる。

・企画提案の承認プロセス行動は、「GO」「RETURN」「STOP」の3つ。「RETURN」になったとしても落ち込まない。そこからが完璧を目指す、残り「5割」をブラッシュアップしていく仕事の工程だととらえる。

・必ず、やり切るんだという強い意志を持つ。

企画の提案は、「完璧主義」ではなく「5割主義」に、いますぐ「修正」しましょう。

あなたのパフォーマンスとモチベーションが上がります。

5

問題解決は「3ゲン主義」より「5ゲン主義」が有効

問題解決を行なううえで、重要な考え方があります。「**3現主義**」です。「3現主義」の「現」とは、「現場」「現物」「現実」のこと。それぞれの言葉の意味は次のようになります。

「現場」……「現場」に足を運ぶ。
「現物」……「現物」に触れる・観察する。
「現実」……「事実」を「事実」としてきちんととらえる。

仕事で何か問題が発生した時に、机上の空論を講じるのではなく、実際に「現場」に足を運び、実際に「現物」を確認し、何が起こっているのか「現実」を正しく把握する――。この姿勢が、本質をついた解決策を講じる際に重要になります。

ホンダやトヨタなど、**「ものづくり企業」で徹底されている品質管理や問題解決のための考え方**です。

なぜ、現場で現物を見て、現実をきちんととらえることが重要かというと、人間がそれだけミスをしやすいからです。

私たちは、仕事のキャリアを積んでいけば、「経験」や「勘」が備わっていきます。

経験や勘といったものは、本来、不確かなもので、あまりアテにはなりません。

しかし、それが成功体験に裏打ちされたものであると、その経験や勘に依存する気持ちが生じ、「これまでも問題がなかったから、大丈夫だろう」といったように、安易な判断をしがちなのです。

これが、思わぬ不祥事を引き起こす、典型的な思考パターンです。

こうした安易な思考に陥らないためにも、ここで「3現主義」の考え方を見直すことが重要です。

コンサルティングの依頼を受けると、私は人事部門のメンバーと一緒に、まずは現場に足を運ぶことにしています。「現場を知る」「現場を理解する」「現場で働く人の感情を肌で感じる」ためです。

私が危惧するのは、「3現主義」が根づいていない会社が少なくないことです。ひどい場合、「人事部門の人が現場に来るのは、6年ぶり」という深刻なケースもありました。当時、現場の責任者が苦渋に満ちた表情で語る様子が、いまだに私の脳裏に焼きついています。

その会社では、現場の状況をきちんと把握したうえでの、現場にマッチするような人事施策の展開ではなく、机上の空論の人事施策がまかり通っていました。当然、現場で上手く機能をしているはずもなく、そこがこの会社の大きな問題点だったのです。

そこで私は、人事部門の仕事の姿勢と行動を修正するために、まずは「3現主義」を徹底させることにしました。具体的には、以下の3つをルールとしたのです。

1、現場……生産部門、営業部門の部門長会議に顔を出す。現場でヒアリングする。

2、現物……現場の社員たちと積極的に話をして、社員の意見や考えを知る。

3、現実……現場で起こっている問題を正確にとらえる。

このルールを徹底したことで、現場の社員たちがどのような課題に直面しているかが明らかになりました。ただ、それだけでは問題を解決するには不十分なのです。

問題の解決策が見えてくる「不偏の法則」

仕事の問題を解決するとは、**自分の「ありたい姿（目標）」と「いまの姿（現状）」のギャップを埋めること**にほかならないからです。

そのギャップを埋める有効な考え方が「3現主義」を応用した「**5ゲン主義**」です。

「5ゲン主義」とは、「現場」「現物」「現実」に、「原理」「原則」を加えたものです。

「原理」……物事の基本的な性質（理論）のこと。

「原則」……人間がつくった基本的なルール（決まりごと）のこと。

「原理」「原則」とは、簡単に言えば「不偏の法則（定石）」ということです。いわば、「3現主義」を実践するうえで、**意思決定の基準となるべきもの**、それが「原理」「原則」なのです。原理原則通りに仕事が進むからこそ、私たちは付加価値を生み出すことも、会社に利益をもたらすこともできるのです。

先ほどの、「人事部門の人が現場に来るのは、6年ぶり」という課題の場合、「原理」は、人事部と現場の基本的な機能や役割になります。

「原則」は、本来、あるべき人事部と現場の関係性のこと。簡単に言えば、現場と人事部との活発なやり取りを実現するしくみのことです。

原理原則にそって考えれば、**「ありたい姿（目標）」と「いまの姿（現状）」のギャップが明確**になります。あとは、そのギャップを埋めるために、現場と人事部との活発なやり取りを実現するしくみをつくり、実行していけばいいのです。

この会社では、**人事部が現場に足を運び、問題点を吸い上げ、具体的な施策に落とし込む体制**をつくりました。その結果、何よりも、人事部と現場の社員同士のコミュニケーションが円滑になり、前向きな意見が飛び交うようになりました。

私たちは、「どうすれば仕事を効率化できるか」「どうすればやる気が高まるか」といったノウハウの獲得ばかりに目を向けがちです。原理原則を見直すことで、自分の意識や行動を正しく修正することができるのです。

6

「ポジティブ言葉を使うセルフトーク」のすごい効果

「言葉の使い方」を変えるだけで、あなたの仕事成果は見違えるように上がります。

ここで言う「言葉」とは、普段、私たちが**無意識のうちに自分自身に語りかけている「ひとり言（セルフトーク）」**のことです。

セルフトークとは、簡単に言えば「**自分自身の心の声**」のこと。

「ポジティブな言葉」「ネガティブな言葉」「論理的な言葉」「感情的な言葉」などが混在しており、すべてが自分自身に働きかけます。

たとえば、「何とかできるだろう」「失敗したらどうしよう」「部長の言葉の真意とは何だろう？」「部長はすぐにカッとなるから困るよな」という言葉です。

セルフトークが「ポジティブ」か「ネガティブ」かで、あなたの考え方や行動、人間関係、そして仕事の成果といったもの、すべてが変わってきます。

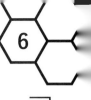

何気なく自分自身に語りかけている言葉は、あなたの**潜在意識に働きかけるため、その影響力は甚大**です。

日常的に、「ポジティブな言葉」を自分に語りかけている人は、考え方や行動も自然とポジティブなものになります。逆に、「ネガティブな言葉」を自分に語りかけている人は、当然、考え方や行動までがネガティブになってしまうのです。

私が研修で指導しているビジネスメソッドの中には、**スポーツの現場で絶大な効果を上げた手法を応用**したものが含まれています。ここで紹介する「ポジティブな言葉を使うセルフトーク」も、その1つです。

自分のパフォーマンスを「修正する言葉」の使い方

大手外資系生命保険会社で、フルコミッションのライフプランナーをしているAさんは、営業成績が思うように上がらず、伸び悩んでいました。私はAさんから相談を受けて、あることに気づきました。Aさんとの会話の中で、「私は、**まだまだ……大したことないレベルです**」というネガティブな言葉が頻繁に出てくることでした。

Aさんは、自分のことを「まだまだ未熟なライフプランナー」としてイメージしていたのです。このネガティブなセルフトークがAさんのパフォーマンスを阻害している要因でした。

そこで私は、Aさんに、「まだまだ……」というネガティブな言葉ではなく、**「最も親身にお客様の話をお伺いするライフプランナー」**という、Aさんらしさを発揮できるポジティブな言葉に変えることを提案しました。

実際、Aさんの営業スタイルは、お客様に親身に寄り添う好意的なものでした。たったそれだけのことでしたが、Aさんは見違えるように、自身のパフォーマンスを改善していきました。「言葉には大きな力がある」のです。

朝起きてから、夜寝るまでの間に、私たちは無数の言葉を使っています。

「得意先の担当者、細かいから苦手なんだよ」「仕事が山積みでうんざり」

普段、こんなひとり言をつぶやいていませんか？

一度、思いつくままに、自分のセルフトークを紙に書き出してみましょう。

どんな状況でも、自分の心の動きに意識を向けることが大切です。

調子が悪い時、どうもやる気が起きない時こそ、セルフトークを振り返ってみてください。必ず「ネガティブな言葉」を使っているはずです。

ネガティブな言葉は、**できるだけポジティブな言葉に言い換えてみる**のです。

「得意先の担当者、細かいから苦手なんだよ」↓（修正）「得意先の担当者、細かいところまで見ていて勉強になるな」

「仕事が山積みでうんざり」↓（修正）「仕事が山積みだけど、1個ずつ片づけるぞ！」

このように、まずは言葉自体をポジティブに言い換えるだけで、不思議と前向きな気持ちに変化していきます。「言霊《ことだま》」という表現があるように、言葉は私たちに強い力を与えてくれます。

言葉の使い方次第で、私たちは、ポジティブにもネガティブにも変われるのです。

気持ちが前向きになれば、実行に移すのは意外に簡単なものです。

言葉が、「人をつくる」と言っても過言ではありません。

もし、ネガティブな言葉を使いそうになったら、ポジティブな言葉に言い換えるように、心掛けてみてください。それだけで、必ず仕事の成果が変わります。

7

仕事では「モチベーション」より「スキル」を優先

「モチベーション（目的意識）」と「仕事スキル（技能）」は相関関係にあります。両方を同じように高めていくことが理想ですが、仕事でまず優先すべきなのは、「仕事スキルを高める」ことです。

仕事スキルには、大別すると、「仕事に必要な専門スキル」「対人関係スキル」「問題解決スキル」の3つがあります。

結果を出す人は、例外なく「仕事スキルを高める」ことに貪欲《どんよく》です。現状に満足することなく、スキルを向上させようと、努力をし続けるのです。

逆に、結果がイマイチな人は、仕事スキルを高めるための熱意が不足しています。

そして、**仕事の成果が上がらない理由を「メンタルの弱さ」「モチベーションの低さ」に求めようとする傾向がある**のです。

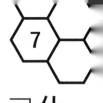

実際、私は、そうしたビジネスパーソンを数多く見てきました。

「仕事の成果は、モチベーションの高さで決まる」と考えてしまうのです。

しかしながら、いくらモチベーションが高かったとしても、仕事スキルが十分に備わっていなければ、結果が伴うはずはありません。

仕事で何か問題が起こった時に、モチベーションの高さだけで問題を解決できるはずはありませんよね。

ただ、仮にモチベーションが低かったとしても、仕事スキルが十分に備わっていさえすれば、問題を解決することはできます。そして、問題を解決することができれば、それが自信となり、自然とモチベーションは高まるのです。

まずは**「仕事スキルを高める」ことに集中することが、結果的に「モチベーションを高める」ことにもつながる**ということです。

海外の人事制度は、「**仕事の成果＝報酬**」という成果重視の体系になっているところがほとんどです。専門用語では、「**ジョブ・グレード**」といいます。

仕事の成果が上がらなければ給与を見直され、降格もあり得る制度です。日本の「成果主義」とは明確な違いがあります。

海外では、「仕事がどれぐらいできるのか」「その仕事ができるスキルと経験を兼ね備えているのか」が最重視されるのです。

グローバル化が進む中で、海外のビジネスパーソンと張り合わなければならない人は少なくないでしょう。

いまは、変化のスピードが非常に速い時代です。ついこの間まで通用したスキルは、あっという間に古くなり、使えなくなってしまうこともあります。私たちは、そうした環境に合わせて、**つねに最新のスキルを習得しなければならない**のです。

新人はもとより、ベテラン社員も、つねに仕事スキルを高める意識を持ちましょう。

結果を出す人は「マインドセット」がすごい！

仕事スキルを高めるために、私が企業研修で指導をしている方法を紹介します。

まずは、効果的にスキルを高めるための「**マインドセット**」（思考パターンをつくる）を行なうことが基本です。

新しいスキルを習得するためには、それなりの時間が必要です。なかなか成果が上がらないと、「自分にはセンスがないのではないか」などと心が折れそうになりますが、あきらめてはいけません。

「やり続ければできる」という信念を強く持つことが大切です。そして、仕事での実践を通じて、粘り強く「修正」をしながら仕事スキルの向上に向き合うのです。

言葉には「強い力」があります。「失敗」という言葉を使うのはいますぐやめましょう。失敗は「上手くいかない状態」と言い換えて、モチベーションを維持するのです。「自分は必ずできる」と信じましょう。「自信はプロセスでつくる」のです。

では、新しいスキルを習得するための具体的なステップを紹介しましょう。「認知の段階」「連合の段階」「自動化の段階」の3つの段階を踏むことが大切です。

①基本を正しく理解する（認知の段階）。

まずは、仕事のスキルについて、正しく理解することが先決です。必要な知識を学び、実際に現場で試してみることが重要です。

・仕事スキルの基本知識を学ぶ。通勤時間などに本を読むなど、自分でインプットをする時間をつくる。
・学んだ「知識」を、すぐに仕事で使ってみる。
・やり方を少し変えるなど、自分で創意工夫をする。

②反復して繰り返す（連合の段階）。
新しいスキルを身につけるためには、時間が必要です。基本をマスターしたとしても、意識をしないと上手くできないこともあります。ただ、数を重ねるにつれて改善されていきます。反復することで、スキルは確実に上達していきます。
・「わかる」段階から「できる」段階に進むために、何度も繰り返す。
・上手くいかなくても粘り強く、修正を繰り返す。

③意識せずに「スキル」を使いこなせる（自動化の段階）。
意識をしなくてもできるようになるまで、「実践」と「修正」を繰り返し、仕事スキルを自分のモノにします。

・とにかく、場数が勝負。現場でスキルを使い、経験を積み重ねることが大切。
・苦手なものは、「何ができていないか」を箇条書きで明確にして、1つずつ課題を克服していく。
・「必ずできる」という信念を持つ。人と比べずに、自分のペースで行なう。

「**自分の能力は自分で高める**」という意識と行動が大切です。

新しい「仕事スキル」の向上にはある程度の時間が必要です。

フロリダ州立大学アンダース・エリクソン教授は、「高いレベルの熟達者になるためには10年の準備期間が必要となる」と10年ルールを提唱しています。

私もエリクソン教授の意見に賛成です。

何かの分野で一流と呼ばれるレベルに達するためには、それ相応の時間と熱意、創意工夫が必要だということです。

いまの自分の意識と行動が、10年後の自分をつくるのです。

3 章

「楽しく働く人」が、お金も時間も手に入れる

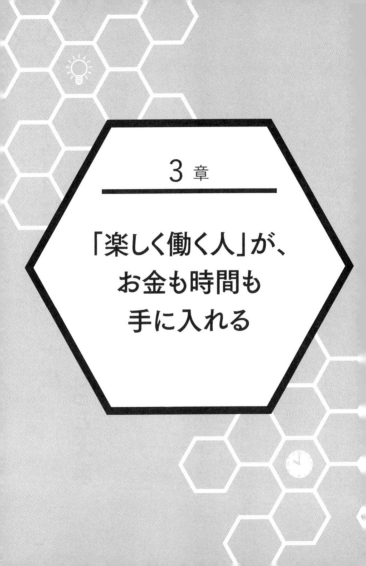

1

「真面目にコツコツ」は大事。「おもしろ、おかしく」はもっと大事

「おもしろ、おかしく働く」――。

私は、これが、仕事の成果を上げる最善の方法だと強く思います。

これまで私は、数多くの企業でコンサルティングや研修を実施してきましたが、元気な会社ほど、**何事も「遊び心」を持って、楽しくやろうという姿勢が顕著**です。

逆に、元気のない会社ほど、「遊び心」が足りない印象を受けます。現場で聞こえてくるのは、会社や上司の悪口だったり、自分の会社と他社を比較して、自分の会社を卑下《ひげ》する意見ばかりなのです。

元気のない会社で働く社員に共通するのは、「上からの指示だから仕方がない」といった「やらされ感」、つまり、義務的な意識や行動です。

私たちが、何のために働くかといえば、「自分が幸せになるため」、つまり「自己実

現のため」にほかなりません。

働くこと自体を楽しめないということは、「幸せになること」や「自己実現をすること」を放棄することと同じです。それは、とてつもない損失だと思うのです。

私のビジネスマンとしての礎を築いてくれたのは、「ホンダ」という会社です。

ホンダでは、何よりも「遊び心を持つ」ことを大切にしていました。

これは、創業者の本田宗一郎氏と藤澤武夫氏が掲げた企業理念とも重なります。

ホンダの企業理念は、「人間尊重」と「3つの喜び（買う喜び・売る喜び・創る喜び）」です。わかりやすく言えば、次のように要約することができます。


仕事をするのも、何をするのも、「自分が幸せになるため」というのが基本。それが、会社のためにも、社会のためにもつながる。

どうせやるなら、少しでも楽しめたり、喜べたりするにこしたことはない。そのためには、「楽しむ工夫をする」「自ら喜んでやる」、つまり、「遊び心を持とう」――。


こうした、「人間の感情」を大切にする企業文化が、町工場から始まった会社を、「世界のホンダ」にまで発展させる原動力となったのです。

ホンダの「おもしろ、おかしく働く」という精神は、たとえば、ホンダの企業スポーツへの取り組みにも表れています。

毎年、東京ドームで行なわれる「都市対抗野球大会」には、2万人近い大応援団が野球部を応援するために駆けつけます。仕事には直接結びつかないことであっても、会社が一丸となって応援することで、社員に強烈な一体感が芽生えました。

会社の食堂メニューにも、ちょっとした遊び心が見え隠れします。たとえば、ライバル企業であるトヨタに勝つために、「トヨタにカツ定食」といったメニューをつくって社員の闘志を鼓舞《こぶ》したり、「ジャストミートスパゲティ」といったメニューをつくり、明るい話題を提供したりして、つねに明るい雰囲気をつくる工夫をしていました。

また、家族や取引先企業などを招いて行なう夏祭りでは、三重県鈴鹿市にある鈴鹿サーキットを開放して、職場ごとに神輿をつくり、みんなで担いで練り歩きます。

「仕事をする時は、徹底して働く、遊ぶ時はとことん遊ぶ」

こうした精神が職場に根づいていたのです。

「楽しく働く」ほどいい結果が出る!

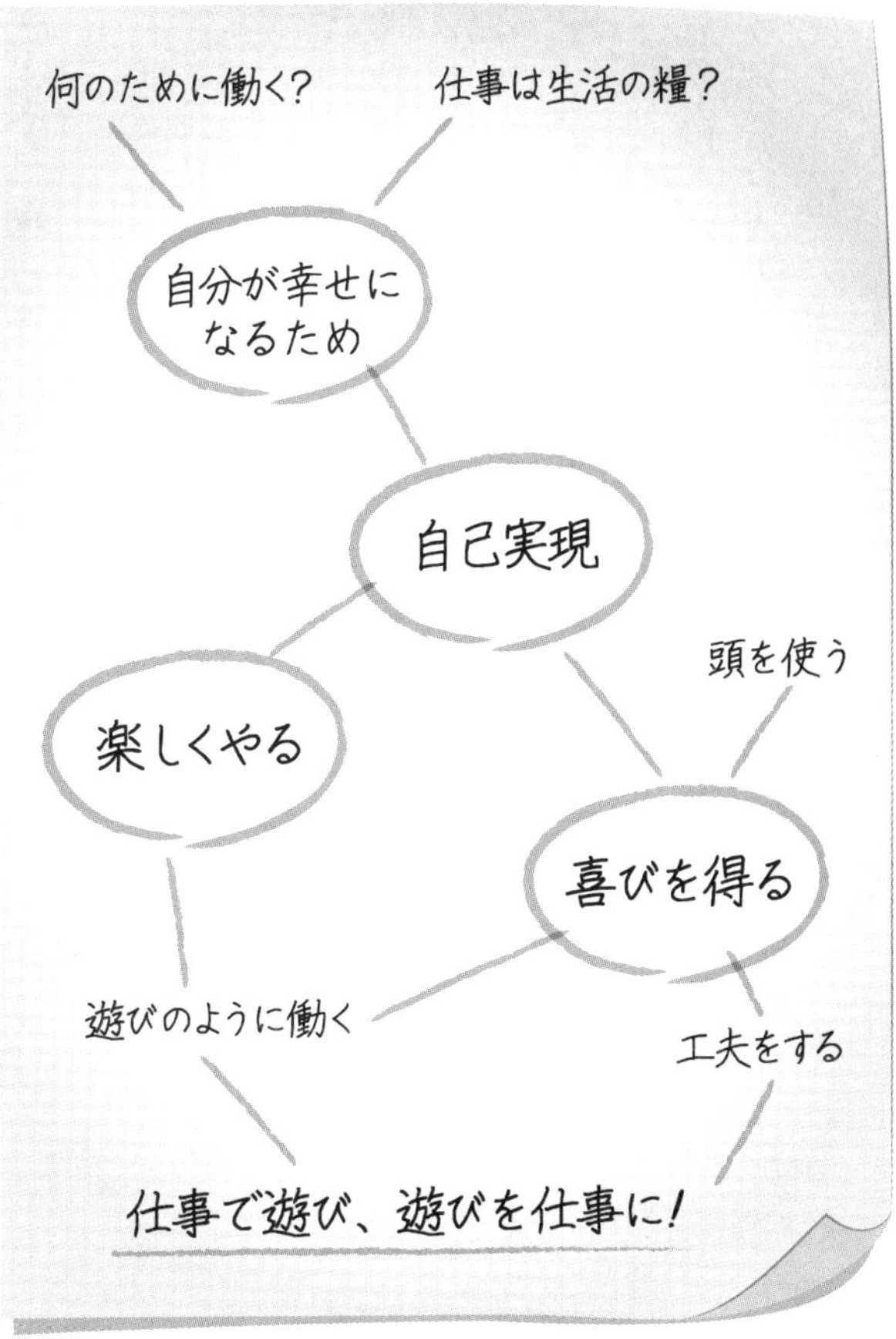

「仕事で遊び、遊びを仕事にする」

こういうお話をすると、「ホンダだから……」という意見があろうかと思います。

ほかにも、「おもしろ、おかしく働く」ことを実践している企業があります。

有名なのは、分析機器のトップメーカーである「堀場製作所」です。

堀場製作所の社是は、「おもしろおかしく」です。

創業者の堀場雅夫氏は、この社是について、次のように述べています。

「会社がおもしろくなかったら、そんなところにいる意味はない。ただ、はじめから企業におもしろおかしいところがあるかというと、そうはいかない。**みんなで寄ってたかって、おもしろおかしい職場にしていこう**ということだ」

こうした企業精神が、世界で約８４００人を擁する大企業へと発展させたのです。

遊び心の大切さについて、ロンドン・ビジネス・スクールで教鞭をとるハーミニア・イバーラ教授の研究が参考になります。イバーラ教授は、仕事と遊びの活動そのものに違いはなく、「仕事で遊び、遊びで仕事をすることができる」と言います。

遊んでいる時は、時間が経つのも忘れて無心で楽しみますが、なりたい理想の自分を思い描き、「おもしろ、おかしく」仕事をしている時も、遊びとまったく一緒だということです。そして、**あらゆることを楽しもうとするアプローチの最大の利点は、「創造性が高まること」**と結論づけています。

イバーラ教授の研究は、私がホンダで実感してきたこととシンクロしています。

私は、「おもしろ、おかしく働く」ために次のことを意識しています。

1、自分自身の個性やアイデンティティを楽しむ。

・思考よりも「感じる」ことを大切にする。

・違う自分を試してみる。

・既成概念にとらわれず、時には、はみ出してみる。

2、どんな仕事も「遊び心」を持って取り組む。

・自ら創意工夫をして「仕事を楽しむ」。

・自分の頭で考え、自分なりの工夫をする。

3、働くことの意味づけを変えてみる。

・「自分のために働くことは、会社のため、社会のためになる」と考える。
・仕事は「お金を稼ぐ手段」ではなく、「自分の可能性を試す手段」と考える。
・「社畜」にはならないと決める。

ＡＩ（人工知能）が広く浸透しようとする時代において、私たちの仕事はどんどんＡＩに置き換えられようとしています。そうした状況にあって、私たちにますます求められるのは、よりクリエイティブな発想です。

脳の研究によると、「真面目な努力」がもたらす仕事の成果は、平均レベルを超えないことが明らかになっています。

真面目にコツコツやることは、もちろん尊いことですが、真面目にコツコツやっているだけでは、通用しない世の中であることも事実です。

私たちは、**人間にしかできない自由で豊かな発想を磨いていく**ことが大切なのです。

遊び心を持って、「おもしろ、おかしく」働いていこうではありませんか。

2

「自分のため」に働くと「会社のため」になる

私は、仕事と人生で大切なことを「ホンダ」から数多く学んできました。

ホンダは、創業者である本田宗一郎氏の思想が、根強く息づいた会社です。

「ホンダイズム」というべき言葉は数多くありますが、最も印象深いのが、

「会社のために働くな。**自分のために働け！**」

というメッセージです。私の心に強烈に刺さる言葉でした。

もちろん、「自分のことだけを考えて働く」という「利己主義」を意味しているのではありません。

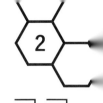

「自分のために一生懸命に働くことは、会社のためになる。会社のためになるということは、社会のためになる」

「自分のために働け！」という言葉には、そうした深い意味がこめられているのです。ホンダでは、その精神を「**自主自立のスピリット**」として重んじ、いまでも現場で受け継がれています。

ホンダは、創業当初から「自立」の経営にこだわり、遠回りしても「自分たちの手でやり遂げる」精神を大切にしてきました。

2000年頃、自動車産業は、400万台のクルマを生産販売しなければ生き残れないと言われていましたが、ホンダは単なる規模の論理ではなく、「ホンダらしさ」という企業としての個性を重視しました。**大企業でありながら、「ベンチャー精神」を持ち合わせている**のです。

こうした精神は、社員1人ひとりの行動指針になっています。

既成概念にとらわれず自由に発想し、主体性を持って行動する。そして、その結果については、自らが責任を持つ、という強い信念です。

このように、「**個人を尊重する**」ことを基本理念として企業活動を行なっている会社のあり方は、愉快であり爽快です。

いつしか私は、「自分のために働け！」という言葉と、「自主自立のスピリット」という精神が、自分自身の価値観、哲学になっていることに気づいたのです。

「自主自立のスピリット」は、時代を超えて重要な、普遍的な真理と言えます。

むしろ、不確実性が高く、変化の激しい「いま」という時代にこそ必要な精神ではないかと思います。

自分の仕事や事業への「想い」がなければ、山あり谷ありの仕事を前に進めていくことはできません。自分の想いがあるからこそ、チームメンバーの想いも尊重できるのです。その共感が、チームメンバーとの信頼を生み出し、その信頼が困難を乗り越え、仕事を成就させる力になるのです。

自分が「仕事の主人公」と考えよう

私はコンサルタントとして、様々な企業の方とおつき合いをし、それぞれの企業の仕事の進め方を観察してきました。そこから、改めて見えてくることがあります。

それは、

100年以上続く老舗企業や、高業績を維持し続けている優良企業では、総じて、「人を企業活動の主人公においている」

ということです。

たとえば、「ハウス食品グループ」はその代表です。

ハウス食品には、「**ハウス十論**」という行動指針があります。その中には、

「ハウスの発展は我々一人一人の進歩にある」
「ハウスの力は我々一人一人の総合力である」
「我々一人一人の社に対する広く深い熱意がハウスの運命を決める」

（ハウス食品グループ本社ホームページより一部抜粋）

など、「人を主人公」において事業活動を展開しようとする精神が示されています。

「**社の事業は人が生み出し、社の価値は人が創造する**」、つまり、「**事業は人が創り出**

す」という「人」を中心においた経営で「世の中に新しい価値」を提供しようとしているのです。

東証一部上場企業の専門商社である「山善」も同様です。

山善では、社員を「従業員」ではなく、「**自業員**」と呼んでいます。これは、何よりも社員の自主性を重んじている社風の表れです。

自分の個性を大切にしながら、自分の考えで行動を起こす（考動）ことが重視されているのです。

「**人づくりの経営**」「切り拓く経営」「信頼の経営」を理念に掲げ、企業活動を展開しています。

ハウス食品も山善も、世界にフィールドを広げ、高業績を続けています。

これまで、様々な企業を見てきましたが、**「人の力を最大限に引き出す」という理念で活動している会社が最も強い**と確信しています。

自分の頭で考え、行動し、結果に対して責任感を持つ――。

そのように、自分が「仕事の主人公」という意識を持つようにしてみてください。

働き方も結果もまるで変わってきます。

3 自分の「絶対価値」を考えてみる

日本の教育は、「弱みを補う」ことに焦点があてられがちですが、私は、「**強みを徹底的に伸ばす**」べきだと考えています。

それが、社会の中で「自分を活かす最良の道」だと信じるからです。

企業研修の現場で多くの若手層と接してきて、残念に思うことがあります。それは、

1、強みを際立たせるより、「横並び」の意識が強い。

2、上司や先輩の評価を必要以上に気にしすぎる。

3、どうやるかを考えるより、「やり方を教えてほしい」と望む。

という意識と行動が目立つことです。

いまの若者に能力が足りないわけではありません。

社会で活躍するための「能力」開発が、学生時代にできていないだけなのです。

なぜ、いまの若者たちは、自分の強みを際立たせるより、「横並び意識が強い」のでしょうか？

日本の若者は、海外の若者に比べて「自分には長所がある」「自分自身に満足している」と、自分に対して肯定的に評価する度合いが低い傾向にあります。

「最近の若者は安定志向」だと言われますが、たしかに「自分が突出することによるリスク」を避ける傾向が強いように思います。必要以上に、周囲との摩擦や軋轢《あつれき》を恐れることによって、他人と同じように考え、行動することが、無意識のうちに染みついてしまっているのかもしれません。

それが、若者たちの横並び意識につながっているように思います。

いずれにせよ、グローバルな環境で仕事をする必要があるいまの時代にあって、私は、改めて「日本人を強くする」ことが最も重要だと考えています。

また、大学までの学習スタイルにも関係があります。大学までは、「知識」を詰め込むことが中心のため、**「正解を探す」ことが思考のクセ**になっている人が非常に多いです。その結果、自分でどうやるかを考える意識が希薄になっているのです。

仕事の現場では、同じ案件でも状況が異なれば、正解は変わってきます。つねに、「どうしたら上手くできるか」を考え、行動することが求められるのです。

自分の想い通りに上手くいかないのが、仕事の現場です。

すでに、「終身雇用制」という生ぬるい雇用システムは崩壊しました。

これからは、ほかの社員にはない「自分の強み（セールスポイント）」、つまり、**「絶対価値」が、評価と価値を決める時代**なのです。

だからこそ、平均点を上げるのではなく、自分の強みを徹底的に伸ばすように、意識を修正することが大切です。

たとえば、「人からよく褒められること」は何？

自分の強みを自分で理解することは、なかなか難しいことです。**「自己認識」と「他者認識」は違うことのほうが多い**からです。

そこで、次の3つの方法を繰り返すと、「自分の強み」が見えてくると思います。

1、まずは、自分をよく知る、理解する（自己認識）。
2、自分の長所や強みを、会社のメンバーからフィードバックしてもらう。
3、周囲の人からよく褒められること、頼まれること、感謝されることは何か、チェックしてみる。

特に、2と3の「客観的な視点から、自分を見る」ことが大切です。

「自分では気づいていなかった意外な一面を知る」ことができたり、逆に、「自分が強みだと思っていたことが、他人からはそう思われていなかった」、という事実を知ることができるからです。

じつは、かつての私も「自分の強み」がいったい何なのか、わからずに悩んだ時期がありました。

いまでこそ私は、人事や人材開発を専門にしていますが、**20代の頃は、いまの自分をまったく想像することができませんでした**。

転機は、社会人野球の本田技研鈴鹿（現ホンダ鈴鹿）時代に、チームが予選で敗退したことで、監督を更迭《こうてつ》された時のことです。チームの勝利を勝ち取れなかったのですから、監督が責任を取ることは当たり前のことでした。

当時の上司から、こんなふうに声をかけていただきました。

「野球を通じて培ってきたコーチングやメンタルトレーニングを、今度は、エンジニアを育てていくという人事の仕事に活かしてみないか」

私は、野球の経験を役立てることができるのは「営業」の仕事ではないかと、漠然と考えていましたので、それを伝えました。すると上司は、

「大西にしかできない仕事が人事だと思うよ」

と私の背中を押してくれたのです。

こうして、私のセカンドキャリアの方向性は、「人事」と定まったのです。

野球というスポーツでは、「個人」と「チーム」の双方が強くなくては勝負に勝てません。そこで学んだ経験を活かし、人事の中でも**「人材開発のスキル」を高めようと決意**しました。

しかし、現実はそんなに甘くありませんでした。34歳ではじめて人事の仕事をしたわけですが、最初の頃は、会社の中で飛び交う専門用語が理解できず、英語が話せな

「絶対価値」があなたの評価を決める!

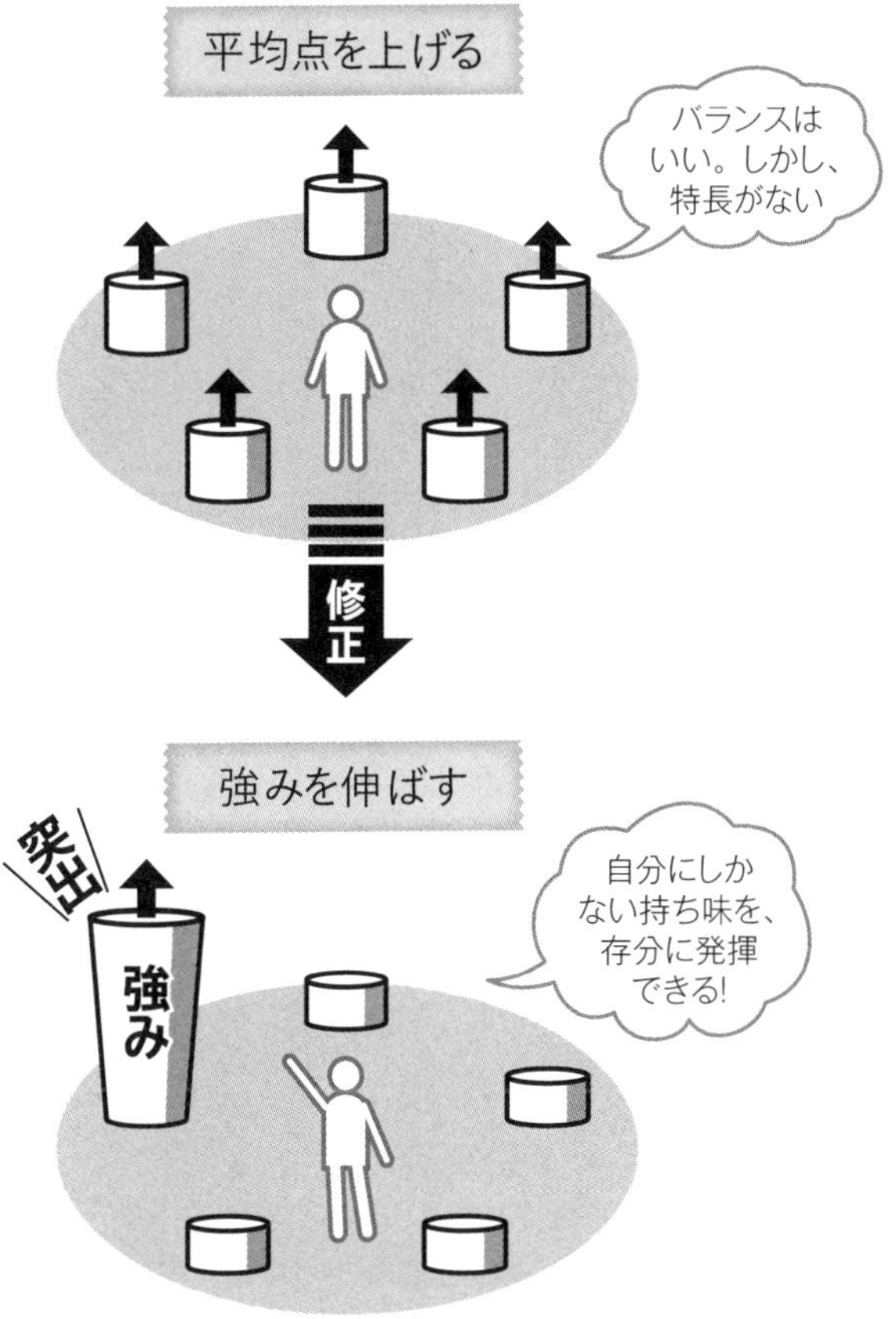

自分だけの「絶対価値」!

いのと同じように、仕事の内容が理解できなかったのです。

精神的に一番きつかったのは、職場の私よりも若いメンバーのほうが専門性を持っていて、能力が高いという現実でした。私は、係長という立場でしたので、ド素人同然ながら、チームのメンバーと、仕事を進めなくてはならなかったのです。

この経験があったからこそ、私は「**自分の強みを理解し、自分の強みを伸ばし、自分の強みを活かす**」重要性を身にしみて、理解することができたのだと思います。それが、いまの私のキャリアや仕事につながっていると考えています。

私自身の経験からも、「自分の強み」を活かし、自分の専門性を徹底的に磨きあげることで、キャリアを築き上げることができると確信しています。

不断の研究と努力を忘れないこと——。

これは、ホンダが大切にしている「ホンダフィロソフィー」の一文であり、私がホンダから学んだ「大切な人間観」です。

横並びよりも自分の個性を活かして、自分の強みに特化することで、専門性は磨かれ、キャリアが形成されていくのです。

4 フロー──「仕事にのめり込む」3つの条件

かつて、日本企業のお家芸であった「イノベーションを生み出す力」が、ここにきて急速に減退しているように思えます。

イノベーションとは、新たな創造によって、社会的に大きな変革をもたらすことです。振り返ってみれば、日清食品の創業者・安藤百福《ももふく》が自宅の研究小屋で生み出した**「インスタントラーメン」**、ソニーが開発した携帯型音楽（カセット）プレーヤー**「ウオークマン」**、任天堂が開発した家庭用ゲーム機**「ファミリーコンピュータ」**、東陶機器（現TOTO）が生み出した温水洗浄便座**「ウォシュレット」**……。

いずれの商品も、かつてなかった斬新なアイデアによって、一世を風靡《ふうび》し、私たちの生活に彩りを与え、豊かにしてくれたものばかりです。これらは、日本企業から生み出され、なかには世界的なヒットにつながったものもあります。

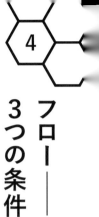

なぜ、いまの日本の企業からは、こうしたイノベーションが起こりづらくなってしまったのでしょうか？

その**一因は、いきすぎた「管理型のマネジメント」**にあると思います。

本来、マネジメントには「管理」だけでなく、「創造する」ことも含まれます。

ところが、日本では、なぜか「マネジメント＝管理」というふうに理解をされがちです。目標を達成するために、管理がいきすぎると、社員は「やらされ感」を抱き、自分が働く意義を見失ってしまいます。

そうした会社から、イノベーションを生み出すような斬新な商品が生まれてくるはずがありません。

イノベーションを生み出すためには、社員1人ひとりの「熱い想い」と「執念」、そして「創意工夫」が不可欠です。

俗に「フロー」と言われるような、**「仕事にのめり込む」**精神状態が必要なのです。

フローとは、簡単に言えば、「時間を忘れて夢中になって没頭している」状態です。

「フロー理論」は、ミハイ・チクセントミハイというモチベーションなどを研究している心理学の大家が提唱した理論です。

「フロー理論」は、大人の遊びを研究するところから始まりました。あなたも、好きなことをしている時に、「とても楽しくて、時間を忘れるほど夢中になった経験」をしたことがあるでしょう。それが「フロー」です。

近年、経営学の中でも、特に「フロー理論」が研究されています。

フロー状態に入るには、いくつかの条件があります。たとえば、次の３つです。

1、挑戦的であること。
2、自分の持っているスキルや能力のすべてを仕事にぶつけていること。
3、がんばれば手が届きそうな目標に挑む場合、「どうしたらできるか」を徹底的に考えること。

何かに挑戦する時、簡単にできてしまうと、人は退屈になってしまいます。逆に、挑戦レベルが高すぎてしまうと、人はやる気を失ってしまいます。

「がんばればできそう」という適切な目標レベルのチャレンジが、フローの状態を呼ぶということです。

「遊びのように働く」と、集中力も生産性も上がる

私がコンサルティングや企業研修を通じて危機感を覚えるのは、社員たちがイキイキと仕事をしていない姿をよく見かけることです。

人と組織が活性化していない会社には、「個人の意思が尊重されない」「上位者の一言で、白が黒に変わる」「トップダウンが強い」といった共通点があります。

私が在籍していたホンダは、それらとは真逆で、**「技術の前では平等たれ」**という、日本では稀《まれ》な企業文化を持っていました。

「仕事では、上司も部下もない。あるのは、よりよいものをつくるという、前向きな議論だけ」だったのです。だから当然、**上司に対しても、きちんと「自分の意見を言う」**ことが求められました。

たとえば、上司のもとへ仕事の相談に行くと、必ずといっていいほど、「ところで、大西は、どうしたいんだ?」と尋ねられました。

また、「他社もやっているので、うちも……」というような話をすると、必ず叱ら

れました。「ホンダの社員の育成の話をしているのに、他社が何をしているかは問題ではない。どうしたらホンダの人を成長させられるのか？　大西の意見が聞きたい！」という具合です。

「差別化」ではなく、「絶対価値」。物事の本質に対するこだわりと、「オリジナリティこそ命」——。こうした価値観が根づいていたのです。

こうしたやり取りに対し、「いまではパワハラになる」という意見もあると思いますが、当時の私は、叱られているという感覚はまったくありませんでした。

むしろ、「真剣に物事を考えているなあ」「もっと自分に何ができるかを考えないと」などと非常にポジティブに受け止めていたのです。

これも「技術の前では平等たれ」というホンダの精神が、職場に浸透していたからだと思います。

ホンダでは、上司とワイワイガヤガヤ話しながら、楽しく「遊ぶように」働いていました。その過程の中で、自然とフロー状態に入っていたと思います。

いま、多くの企業で、「若者は主体性がない」という言葉をよく聞きます。

でも、本当にそうでしょうか？　私には疑問です。

私たち大人が、若者の主体性や挑戦意欲を阻害しているのではないでしょうか。

マネジメントのやり方が「管理」一辺倒になっているので、若者たちが「遊び心」を持てなくなっているのではないでしょうか？

研修の現場で出会った若者たちは、「楽しいことをやりたい！」と私に話してくれます。だとすれば、その企業には、「仕事が楽しい」「仕事にやりがいがある」といったフロー状態に必要な要素が不足しているに違いないのです。

仕事ですから、「成果」を求められるのは当たり前のことです。

でも、だからこそ、「人間の本質」に立ち返り、人の力を最大限に発揮させるマネジメントにシフトしていかなければならないのです。

社員1人ひとりは、「仕事は厳しいものだ！」という意識から、**「仕事は楽しいものだ」という意識に修正**していかなければなりません。

楽しいから集中力や生産性が上がり、斬新なアイデアが出てくるのです。

上司も部下もない。みんなが仲間。

いまの時代には、「遊び」のように働くことが求められているのです。

5

逆境で必要なのは「ユーモア」

仕事をしていれば、幾度となく、挫折や困難といった「逆境」に直面します。

自分が試されているかのようなつらい出来事を前にすると、思わず挫《くじ》けそうになることもあります。

しかし、**逆境でどうふるまうかは「人生の勝負所」**と言えるほど重要で、その後の人生を良くも悪くも変えてしまいます。

私の経験上、逆境にへこたれるのではなく、その状況を前向きにとらえられる人は、必ず逆境を克服して、それをバネに大きく成長することができます。

不確実性が高く、変化の激しい時代を反映してか、最近の心理学では、**ネガティブな状況をポジティブにとらえる心理**の研究が進んでいるようです。

「やり抜く力（グリット）」「逆境力（レジリエンス）」……書店には、そのような前向きなテーマを扱う本が数多く並んでいます。

あなたは、「逆境力（レジリエンス）」という言葉をご存じでしょうか。

「逆境力」とは、**困難な状況に遭遇しても、しなやかに適応して立ち直る力**のことです。

「復元する」「回復する」「逆境への精神的な弾力性」などが、レジリエンスの語源です。

「逆境力」は、個人はもとより企業や様々な組織などで、リスク対応の観点からも重要な能力として、研究が進められています。

「逆境力が高い人」には、次の６つの特長があることがわかっています。

1、未来志向性……未来に対して肯定的な期待を持っている。
2、心身の調整が上手い……心身のセルフマネジメントが上手く行なえる。
3、多様性……興味や関心など、様々な分野に志向が向いている。
4、つながり……安定した家庭環境や親子関係、友人関係がある。
5、自尊心や共感性が高い。
6、ユーモアセンスやコミュニケーション能力がある。

私たちは、「挫折や試練を数多く経験することが、精神力を鍛え、心の強さにつながる」というように、すぐに根性論を持ち出し、短絡的に決めつける傾向があります。

ところが、心理学の様々な研究結果では、**「逆境力の強さ」と、「過去の逆境体験の多さ」には、なんら相関関係が見出せない、**ということが明らかになったのです。

根性を科学的な視点でとらえ直してみると、「思い込み」とはかけ離れた「真実の姿」が浮かび上がってきます。

逆境力とは、根性で身につけるものではなく、工夫をすることによって身につけることができる「メンタルスキル」だということです。

「前向きに生きよう」とか、「笑顔を絶やさないようにしよう」といった、意識のあり方、心の持ち方を工夫することが大切なのです。

私自身、これまで多くの「逆境」を経験してきました。それを乗り越えることができたのは、**「あきらめなければ、道は必ず開ける」**という信念を持っていたからです。

良くても悪くても、まずはその状況に「向き合う」ことが大切です。そして、**「ピンチはチャンス！」「何とかなる！」**などと、楽観的に考え、とにかく前向きに行動するように心掛けるのです。

「あきらめなければ、何とかなる」

1994年当時、私はホンダに在職していましたが、会社の経営状態はよくありませんでした。F1から撤退したり、私が所属していた野球部も企業活動の自粛から予算が2分の1になるなど、活動がままならない状況にあったのです。

「勝たなければ、野球部は休部になる」という最悪の状況を迎えていました。チームにとっても私個人にとっても、まさに「正念場」です。

当時私は、野球部の「人・モノ・カネ」を預かるマネージャーを務めていました。苦しい台所事情の中で、「遠征に行けない」「春季キャンプも行なえない」「出場する大会も限られている」という三重苦を味わわされていました。

しかし、私も含め、チームメンバー全員に、悲愴感はありませんでした。

メンバー全員が、「あきらめなければ、何とかなる」と前向きな気持ちを持っていました。そして、「野球をすることを心から楽しみ、喜びをかみしめ」、毎日、汗を流し続けたのです。

その結果、同年、チームは驚異の粘りを見せ、**「日本一」に輝くことができました。**会社の経営状態はよくありませんでしたが、予選時からたくさんの応援者が、野球部を盛り上げてくれました。東京ドームでの試合は毎試合、超満員でした。チームは幾度となく、「ダメだ！」というピンチを乗り越え、勝ち進んだのです。

グラウンドと応援がまさしく「一体化」した末の勝利でした。

その後、会社の業績も徐々に回復し、現在も小型ビジネスジェット機の分野でデリバリー数が5年連続で世界1位（2017〜21年）に輝くなど、つねに新たな挑戦をし続けています。

ホンダには、**「負けるもんか！」**というキャッチフレーズが非常に印象的な企業広告があります。挫折や困難に直面しても、けっして**あきらめず、何度でも挑戦する勇気**を持つことの大切さを、私たちに教えてくれます。

とても勇気づけられるメッセージですので、参考までに、その文章を一部抜粋し、紹介したいと思います。

がんばっていれば、いつか報われる。持ち続ければ、夢はかなう。
そんなのは幻想だ。
たいてい、努力は報われない。たいてい、夢はかなわない。
そんなこと、現実の世の中ではよくあることだ。
けれど、それがどうした？　スタートはそこからだ。
新しいことをやれば、必ずしくじる。
腹が立つ。だから、何度でもやる。
さあ、きのうまでの自分を超えろ。
負けるもんか。

（本田技研工業ホームページより一部抜粋）

いまは、先行き不透明な時代です。業界の再編やビジネスモデルの転換を余儀なくされるなど、ビジネスの現場はまさに「正念場」を迎えています。だからこそ、笑顔を忘れず、前向きな気持ちを持って、しなやかにたくましく生きていきたいものです。

6 「失敗しない人」より「失敗から学ぶ人」が大きくなる

「修正力」は、どんな能力レベルの人であっても、自分の潜在能力を引き出し、仕事や人生において確実に成長していくための能力です。

「修正力」では仕事の基本を重視しますが、その基本も絶対ではありません。なぜなら、過去に通用したからといって、未来にも通用するとは限らないからです。

時代とともに、通用する「基本」は進化していきます。大切なのは、**その進化にあわせて、基本をアップデートしていくこと**です。

いまの自分の能力とは、自分の「経験」を「教訓」に変えてきた歴史そのものと言い換えることができます。

「修正力」は、**経験から学ぶことを重視**します。これは、「知識習得ばかりに目が行きがちな教育からでは、社会で活躍できる人材を輩出することが難しい」、というリスクの裏返しでもあります。

いま、若者の離職率が深刻な問題になっています。

なぜ、若者たちは厳しい就職活動を勝ち抜き、入社を決意したにもかかわらず、簡単に会社を辞めてしまうのでしょうか。

理由は1つではありませんが、様々な企業の現場で若手社員と接しながら、私が考えた結論とは、「知識」習得に重きをおいた教育の弊害です。

私は新入社員には、「仕事のできる人とはどんな人ですか?」という質問を必ずします。

新入社員の回答は、おおむね、

「上司に指示された仕事を上手くできる人」

というものです。「言われたことをきちんとやればいい」という学生時代の思考のクセが、社会人になっても抜けないのです。

私は、「**仕事のできる人は、失敗を恐れずに、行動、挑戦する人**」だと考えています。

新入社員たちにそれを伝えると、みな、きょとんとした表情になります。どういうことなのか、ピンとこないのです。

そこで私は、次のような主旨の話を彼らにします。

「仕事には、決まった答えはありません。刻々と状況が変わり、柔軟に対応していくことが必要です。上手くいかないことのほうが多いのです。だから、まずやってみる、行動してみるということが大切。与えられた仕事をできるまでやり続けようとする人は、必ず成長します」

前述したように、心理学では、「**自己効力感**」という言葉があります。これは、「**自分でできると思える感情**」のことです。日本の若者は、世界的にみても自己効力感が高いとはいえません。それが、「指示待ち社員」といった言葉に象徴されるように、日本の若者たちの消極性につながっているように思います。

自己効力感を高めるには、自分自身で成し遂げたという「**成功体験を重ねる**」ことが大切です。

「経験こそ最良の教師」——大いにチャレンジしよう！

私は、新入社員や若手メンバーには、「できるまでやり続けよう！」ということを何度も何度も伝えます。その理由は、どんなことでもよいので、「自分でやりきった！」という成功体験を何度も重ねてほしいからです。

多くの若者は、仕事ができる人とは、「ミスをせず、成功を繰り返してきた人」という印象を持っています。

社会人経験の長い方ならおわかりのように、仕事のできる人は、**「挫折や失敗が多く、それを乗り越えてきた人」**のことです。

もちろん、持って生まれた才能というものはあるでしょうが、**「努力することが才能になっている人」ほど、社会で活躍している**ことは事実です。

若手層にお伝えしたいのは、社会人としての「コモンセンス」を身につけることです。コモンセンスとは、人生の経験から身についた日常の実用的な思慮や分別のことです。コモンセンスは、経験をし、「修正」を繰り返すことで身につくものなのです。

経験を繰り返し、自分なりの教訓を身につけることで、自分の潜在能力は引き出されていきます。

潜在能力を引き出すための「最良のコーチ」、それは「自分自身」なのです。

4 章

「逆から考える」——失敗でさえ成果に変える法

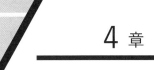

1 「ありたい姿」から「いまの姿」を修正する

ビジネスやスポーツで成功をおさめている人は、物事を「逆算」して考えます。

つまり、最終的に成し遂げたい**「大きな目標＝ありたい姿」から考える**のです。

これを「**逆算の方程式**」といいます。

「逆算の方程式」を使えば、最終的に成し遂げたい「大きな目標」や、自分の「夢」を効率よく達成することができます。

「逆算の方程式」は、コンサルタントや一部のビジネスエリートだけが使う特殊なものではありません。誰にでも使える考え方です。

「逆算の方程式」では、最初に「ありたい姿」を明確にイメージすることが重要です。

「ありたい姿」とは、「こんなふうになりたい！」という理想の自分のこと。最終的に成し遂げたい「大きな目標」や「夢」とも同義です。

考え方の手順をまとめてみましょう。

1、「ありたい姿」を明確にする。

2、「ありたい姿」に対し、「いまの姿（現状）」を客観的に分析する。

3、「ありたい姿」と「いまの姿」のギャップを明らかにする。

4、どうしたらそのギャップを埋められるか「行動プラン」を考え、実行していく。

こうした手順で、具体的な行動プランをどんどん実行して、修正を繰り返しながら、ありたい姿に近づけていくのです。

「ありたい姿」（「大きな目標」や「夢」）に近づくために、「いつ・どこで・誰が・どのように」やるかを具体的にしたものが「目標」、そう理解してください。

私は、「ありたい姿」を描いていくプロセスのことを「**デザイン**」と呼んでいます。

私は、年間延べ４５００人以上の管理職層を対象に、企業研修やコンサルティングを行なってきましたが、どの業界でも結果を出す人には共通点があることがわかりました。

結果を出す人は、「**自分のために働くことが、会社のためになり、社会のためになると考える**」傾向があるのです。

自分の「想い」を会社や仕事の場でどう実現するかをシンクロさせながら、社会に貢献するという「利他」の心を持って行動しています。

「ありたい姿」をデザインすることができる人は、仕事のやりがいが高く、「ありたい姿」が描けない人、つまり、「言われたことだけをやる人」は、仕事のやりがいが低い傾向が顕著なのです。

会社の大小に関係なく、個人がそれぞれの「夢」を持ち、その達成に向けて仕事を通して、努力する状態をつくり出すことができれば、おのずと個人も組織もイキイキとしていきます。

心理学の言葉を借りれば、「内発的なモチベーション」をいかに引き出すかがカギとなる、ということです。

あなたは、いまの仕事を通じて実現したい「ありたい姿」はありますか。

「ありたい姿」、言い方を変えれば、「自分がどんな生き方をしたいのか」「どんな職

「逆算の方程式」で夢を実現しよう!

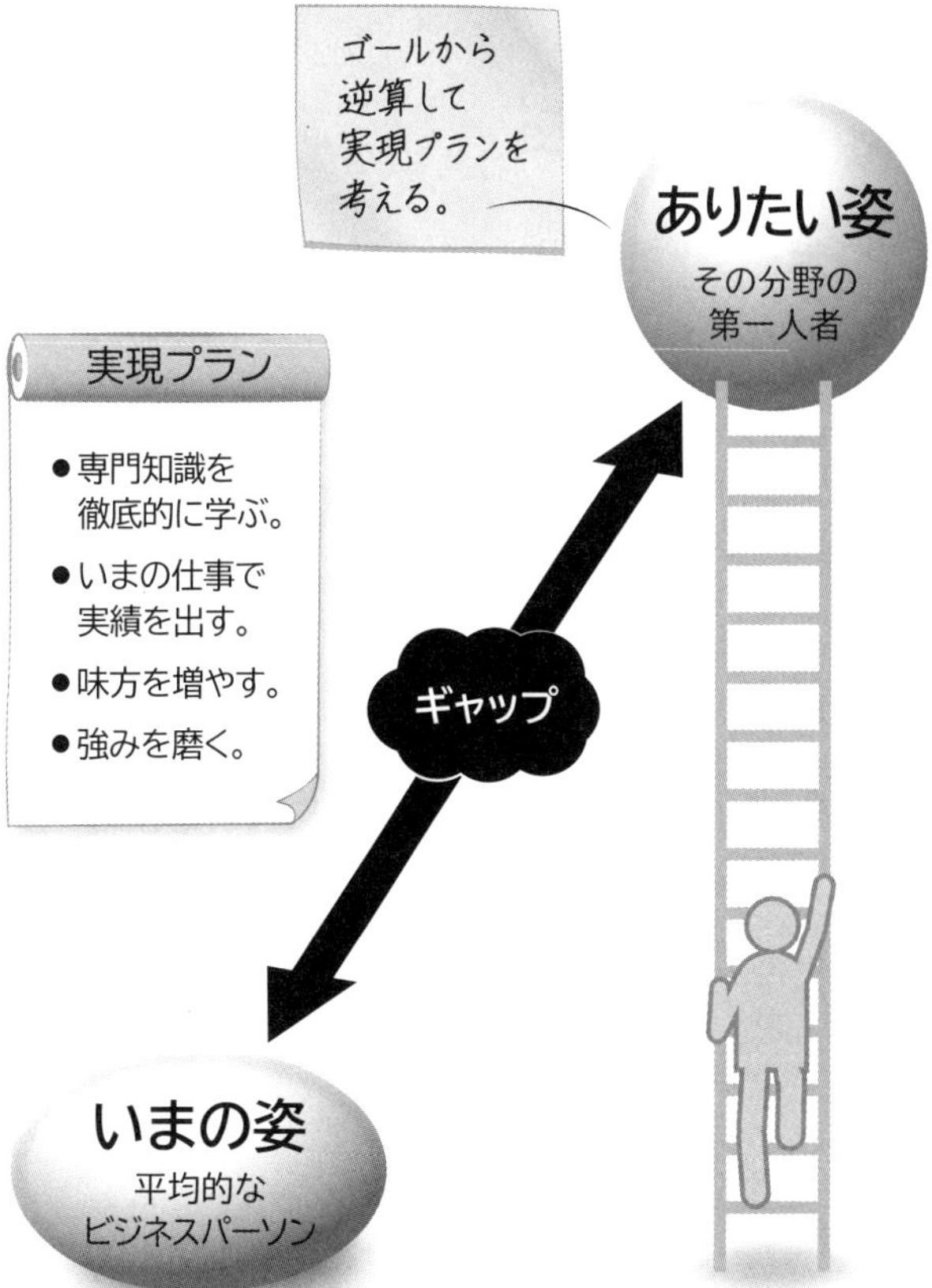
ゴールから
逆算して
実現プランを
考える。
ありたい姿
その分野の
第一人者
実現プラン
●専門知識を
徹底的に学ぶ。
●いまの仕事で
実績を出す。
●味方を増やす。
●強みを磨く。
ギャップ
いまの姿
平均的な
ビジネスパーソン

業人生を送っていきたいのか」が決まると、自然に道が開けます。進む道が決まれば、前に進むことができるのです。

自分が「将来、どうなりたいか」をデザインしてみよう

「ありたい姿」を描く方法は、**自分の信念にもとづいた「将来の夢」をデザインすること**です。

少々難しいですが、自分の信念とは、「将来、どうなりたいのかという生きる目的・あり方」のこと。**自分自身の「軸」をしっかり持つことが大切**であり、それをしっかり考え抜くのです。

「ありたい姿」とは、たとえば、

「自分の個性と能力を存分に発揮して、その分野の第一人者になる」
「自由闊達に意見を言い合い、目標を達成する強いチームをつくる」

といったようなイメージです。自分が**「将来、どうありたいか」**という視点で、自由に決めればいいのです。

「夢」は寝ている時に見るものではなく、自分がつかみ取るものです。単なる夢に終わらせないためにも、最終地点までの具体的な目標を考えましょう。

自分自身の能力を最大限に発揮していくためには、「知識」よりも「自分がどうしたいのか」を自分に問いかけて、自分自身をコーチングしていくことが大切です。

すべての行動に「意味」を持たせるためにも「ありたい姿」を設定することから始めてください。

自分の人生を本気で謳歌《おうか》したいなら、「何気なく生きる」ことから、「目的を持って生きる」ことに「修正」をしましょう。

働くとは、自分の人生を幸せに、そして、豊かにする具体的な方法のことなのです。

2

「小さな目標」を何度もクリアすると「大きな成果」になる

私たちが、最もモチベーションが高まるのは、どういう状態かわかりますか？

「できそう」（期待感）×「やる価値がある」（肯定感）

これが、最もモチベーションが高まる状態を表す公式です。

「これならできそう」という期待感と、**「これはやる価値がある」**という肯定感の双方が満たされた時、**私たちのモチベーションは最も高まる**のです。

どんな仕事にも、必ず達成すべき目標があります。目標が存在しない仕事は、仕事とは言えません。あなたも、日常的に「目標設定」をしていることでしょう。

この目標設定の巧拙が、じつはモチベーションに大きな影響を及ぼします。

よく見かけるのが、**自分の実力とは大きくかけ離れた目標を立ててしまうケース**。

営業マンに多いのですが、本来は月に平均300万円程度の売上がせいぜいの人が、いきなり月に1000万円の売上目標を立ててしまうケースです。

「もっと売上を上げなければいけない」という焦りやプレッシャーはよく理解できます。とはいえ、月に平均300万円しか売上のない人が、いきなりその3倍の1000万円を目標にしたとしても、どだい、ムリな話です。

冒頭で紹介したモチベーションが高まる公式からすれば、ムリな目標設定であることが一目瞭然です。なぜなら、「これならできそう」という期待感がまったく湧かない**非現実的な目標**だからです。

そのことは、目標を立てた本人がよくわかっているはずです。いざ、目標を立てたものの、内心では「ムリだよな……」などと弱気になっているものだからです。

私がコンサルティングで指導をしたケースから考えても、達成できそうもない非現実的な目標を前にすると、人はその数字がとほうもなくプレッシャーになり、最初から「ムリだ」とあきらめるような行動を取ってしまうのです。

営業主体の会社では、成績の芳しくない社員に対し、「いまの若者は根性がない」

とか「気合いが足りない」などと、すぐに精神論を振りかざし、問題を解決しようとしがちです。その姿勢が、まったくの逆効果につながるということを知ってください。

そもそも**最適な目標には、個人差があります**。その人にとって、最もモチベーションが高まる目標を立てられるかどうかが、成果を左右するのです。

がんばっても達成できなそうな「非現実的な目標」を立てるのではなく、**がんばれば達成できそうな「現実的な目標」を立てる**ことが重要なのです。

「やればできる」――この「自己効力感」が成果につながる

目標には、「大きな目標（結果目標）」「小さな目標（行動目標）」の2つがあります。「大きな目標（結果目標）」とは、最終的に達成すべき目標のことです。前項で説明した「ありたい姿（夢）」と同様の意味です。

数値的な目標を立てる場合、売上や顧客獲得数などが大きな目標になります。達成すべき目標が数字で示されるため、不安やプレッシャーがつきまといます。この目標といまの自分とのギャップが大きすぎると、意欲や集中力が低下してしまいます。

「小さな目標（行動目標）」とは、大きな目標を達成するための「行動目標」です。

たとえば、「新規顧客にアポを30件とる」「今週中に5件訪問する」といった目標です。結果ではなく、**行動そのものが目標になります**。すぐに実行できるため、ハードルも低く、**達成するのも簡単**であることが特長です。

また、小さな目標は、自分でコントロールしやすいというメリットもあります。余計な心配をせずに、「やるべきこと」に集中して取り組むことができるのです。

目標には2つの種類があることがわかったら、今度は、目標の立て方です。

最終的に目指すのは、もちろん「大きな目標」です。ただ、大きな目標だけを掲げても、ハードルが高く、挫折するのが関の山です。

そこで、大きな目標の手前に、**達成するのが簡単な「小さな目標」をたくさん設定する**のです。それが、最終的に大きな目標を達成するコツです。

「小さな目標」を達成する経験を繰り返すうちに、「**自己効力感**」が高くなります。

自己効力感とは、「自分ならできる」という自信のような心理のことです。

自己効力感が高まれば高まるほど、「がんばれば、必ずできる」と、モチベーションも高まるため、より積極的に行動できるようになります。だから、自然と目標を達成する可能性が高まるのです。

私自身は、「大きな目標」を達成するために「小さな目標」の達成を連続して行なうことに意識を向け、行動をしてきました。

私が人事や人材開発の仕事をするようになったのは、34歳の時です。入社後すぐに、人事の仕事に携わってきたメンバーとは圧倒的に知識や経験が違っていました。

そこで、まず、「大きな目標」として、3年後には、「人材育成のことなら、大西が最も専門性があると評価される」という目標を立てました。

人事の仕事は、人事、労務、福利厚生、人材育成など、多岐にわたります。まずは、人材育成のことだけでも周囲から一目置かれるようになろうと考えたのです。

「小さな目標」は、どうしたら「大きな目標」を達成できるかという視点から、細かく設定しました。**「行動」にフォーカスして、「どれくらい達成したか」を毎日振り返り、修正を繰り返していく**のです。「できなかったこと」ではなく、「できたこと」に着目し、前に進んでいきました。

この時に取り組んだことが、現在につながっていると強く感じています。「継続は力なり」です。

「小さな達成感」が原動力になる！

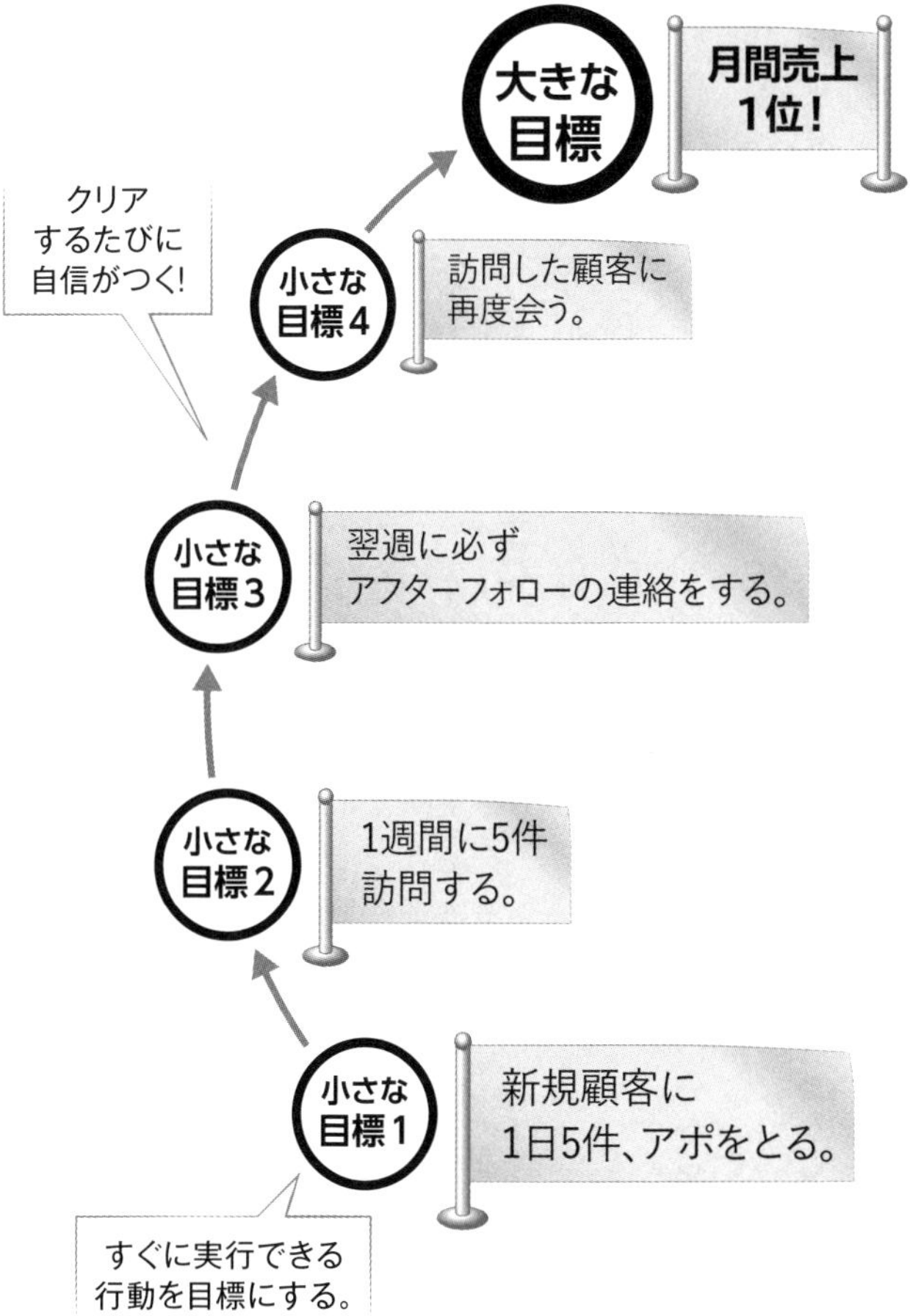
大きな目標
月間売上1位！
クリアするたびに自信がつく！
小さな目標4
訪問した顧客に再度会う。
小さな目標3
翌週に必ずアフターフォローの連絡をする。
小さな目標2
1週間に5件訪問する。
小さな目標1
新規顧客に1日5件、アポをとる。
すぐに実行できる行動を目標にする。

■大きな目標：「人材育成のことなら、大西が最も専門性があると評価される」

■小さな目標：①専門性を高める……コンサルタントレベルの専門性を獲得する。

・大学院に通って専門性を高める。

・仕事でお会いしたコンサルタントに話を聴く。

・専門書を1カ月に最低5冊読む。

②行動力を高める……今の仕事で成果を上げる。

・目の前の仕事の「質」を上げる。

・ミスを防ぐため、見直しを徹底する。

「大きな目標」にひるむことなく、「大きな目標」を「小さな目標」に分解して、できることに全力を尽くすことを徹底してみてください。

目標を成し遂げることが、どんなに素晴らしい経験と自信になるか、身をもって味わうことができるはずです。

3

目標を達成する力「メンタルスキル」を磨く

目標を達成できる人とできない人の違いは、**「本気」と「覚悟」の差**にあります。

こんなことを言っては元も子もないのですが、それが真実です。

たしかに、目標を達成するための具体的方法はいくつかあります。前項で紹介したように、「小さな目標を何度もクリアすることで、やがて大きな目標に到達する」というのも、その1つです。

それはそれで効果的な方法には違いないのですが、1つ条件があります。それは、**「目標を絶対に達成するぞ」という心の持ち方――「本気」と「覚悟」が必要**だということです。目標を達成するためには、「心の持ち方」と「具体的な方法」の両輪が揃っていなければならないのです。

「目標を達成する力とは、メンタルスキル」だということを知っておいてください。

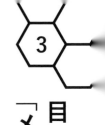

目標を達成できる人は、「自らの限界を決めつけない人」と言えます。

「目標を達成できる」と思えば、本当に達成できます。「目標を達成できない」と思えば、どうやっても達成することはできません。これが「限界」という言葉の正体です。

限界を決めるのは、そう、「いつも自分」なのです。

なぜ、そんな話をしたかというと理由があります。

企業活動では、組織目標を達成するための「個人目標」が与えられます。ここで言う「個人目標」とは、自らが立てた目標ではなく、会社から「達成してほしい」とトップダウン式に割り当てられた目標のことです。

私たち人間は、「**腹落ちしないことは行動に移さない**」という習性を持っています。いくら会社から達成すべき目標を割り当てられたとしても、それについて腹落ちし、「自分事」としてとらえられないと、簡単に「自らの限界」を決めつけてしまい、目標を達成できなくなってしまうのです。

冒頭で述べた「本気」と「覚悟」という言葉には、会社から割り当てられた目標を、「**自分事の目標」としてとらえ直す心の持ち方**という意味もこめられているのです。

単に割り当てられた目標という意識を捨て、「自分事の目標」としてとらえ直しためのコツがあります。

それは、**「WHY」（なぜ）と自問自答を繰り返してみる**のです。

「なぜ、この仕事を自分が依頼されたのか？」

「なぜ、この目標を達成しなければならないのか？」

「（目標を達成すると、）何が得られるのか？」

こうした問いを繰り返していくうちに、目標を達成する意義が明確になります。

「会社（上司）は、自分を成長させるためにチャンスを与えてくれたのかもしれない」

「会社に貢献して、自分自身が大きく成長するため」

「目標を達成することができた、という大きな自信が得られる」

こうして、自分事の目標として腹落ちすれば、その目標を達成するために必要な心の持ち方、つまり、「本気」と「覚悟」を持つことができるようになります。

「なぜ、それをやるのか」を言葉にしよう

「WHY」（なぜ）と自問自答を繰り返してみても、自分が与えられた目標や役割に

納得がいかない場合、どうすればいいでしょうか？

その場合は、「もはや自分個人の範疇《はんちゅう》を超えている」ということです。きちんと上司と話し合う必要があります。

「やらされ感」のある仕事から、自発性は生まれてきません。「仕事だから割り切ってやる」というのでは、当事者意識は芽生えないのです。

上司と部下で話し合って決めた納得感のある目標は「**骨太の目標**」です。

会社の方針だからという理由だけで納得感の得られない目標は「**脆弱な目標**」です。

どちらのほうが達成しやすいかといえば、もちろん「骨太の目標」のほうです。

「骨太の目標を設定する会社」では、上層部が社員たちに「なぜ、この目標を達成しなければならないのか」をきちんと語るため、総じて社員のモチベーションが高く、目標を達成する確率も高い傾向にあります。

一方、「脆弱な目標設定をする会社」の場合、真逆です。

達成すべき数字だけを社員にブレークダウンし、その後の話し合いの場もろくに持たずにいるケースが散見されます。そのため、総じて社員のモチベーションは低く、目標達成どころか、離職率の高さが問題になる深刻なケースまで見受けられます。

私は、金融機関の支店長研修を行なう機会が多いのですが、脆弱な目標設定しかなされていない現場を数多く見てきました。

ある金融機関では、支店長が「なぜ、この目標を達成する必要があるのか？」「当支店では、何を目指すのか？」をきちんと語らずに、ただ数字目標だけを伝えることが慣例となっていました。

私は、若手行員たちが、意味も理解できない中で、数字目標のみを達成することに意欲を失い、働くことに疲れ、離職するケースを目の当たりにしてきました。

毎日の地道な行動は、その「意味」が明確でないと、単なる「作業の反復」になってしまいます。それが、働く意欲を低下させ、結果的にパフォーマンスを下げることにつながってしまうのです。

目標は、**日常の仕事の「意味づけ」を強化**し、私たちの行動を促してくれるものです。「目標設定」が単なるお題目ではなく、「メンタルスキル」だということが、おわかりいただけたでしょうか。

まずは、目標設定に対する認識を修正することから始めましょう。

4

あなたの「資源要件」は？「行動要件」は？

目標を達成するために、絶対に押さえておくべき2つの要件があります。

それは、**「資源要件」**と**「行動要件」**の2つです。

・**資源要件……目標達成に必要な投入資源。**
（人・モノ・カネ・知恵・情報・ノウハウ・時間）

・**行動要件……目標達成で守るべきルール。**
（コンプライアンス・企業理念・行動指針・自分のありたい姿と信念）

なぜ、「資源要件」と「行動要件」を押さえておくべきかというと、**どんな仕事も「制約との戦い」**だからです。

予算が潤沢にあればよいのですが、現実は、**厳しい予算の中で高い目標を達成していくことを要求されることがほとんど**です。

「予算が少ないからできない」という限界を超えて、目標を達成するためには、あらかじめ、自分が活用できる資源を明らかにしておくことが重要です。


予算が足りないのであれば、交渉をして予算を引き出すなど、「どうやればできるのか」を粘り強く考える必要があります。


ビジネスにありがちな「同質化」も避けなければなりません。

「同質化」とは、同じ戦略を採用することで、ライバル企業の差別化を無効にすることです。

「同質化」に陥っていくと、「市場におけるレッドオーシャン化」「薄利多売」のビジネスに陥り、苦しい戦いを余儀なくされるため、注意が必要です。

「行動要件」を明確にすることは、**「自社らしさ」を際立たせる**ことに役立ちます。

「自社らしさ」「自分らしさ」が際立ってこそ、「目標を何としても達成するぞ!」という動機にもつながります。


小さな会社では特に「資源要件」と「行動要件」をきちんと押さえたうえで「目標

達成のマネジメント」を実行する必要があります。

私が相談を受けた、ネイルサロンを経営する会社のケースを紹介しましょう。

この会社には、「達成したい目標」は明確にありました。ネイルサービスの技術も他店より高く、ネイリストさんたちの教育にも力を入れていました。

にもかかわらず、「赤字」が続いていたのです。

「なぜ、経営が上手くいかないのか」がオーナーの悩みでした。

話を聴いていくうちに、「広告掲載」や「ホームページのリニューアル」などに、過度に「お金」を使いすぎている現状が明らかになりました。

そこで、まずは「資源要件」をきちんと把握し、**与えられた条件の中で、「効果効率」の高いやり方を選択する**ことを指導しました。

使える資源をきちんと押さえておくことで、はじめて目標達成を無理せず、着実に行なうことが可能になるのです。

「経営者だから資源要件を意識するのは当たり前だろう」と考える人もいるでしょう。

ところが、小さな会社では、オーナーが経営のすべてを行ない、かつ、自分もプレーヤーとして働いているケースが多いため、「当たり前」のことを見落としてしまうこ

「目標を達成する」ための2つの要件

1.資源要件

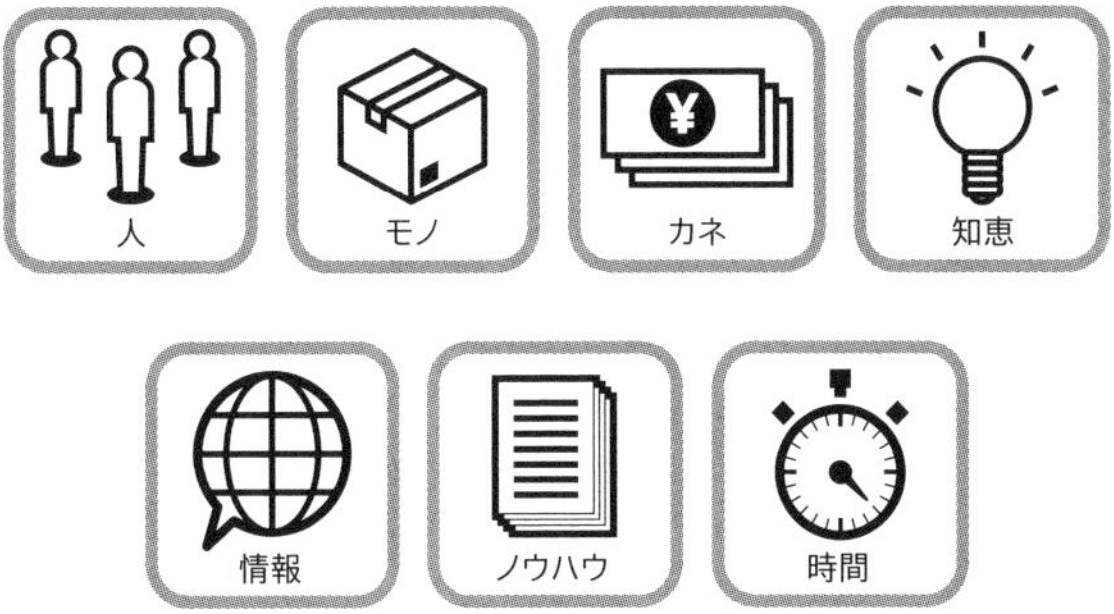

2.行動要件

何が使え、何が足りないかを明らかにしよう!

とが多々あるのです。

「ありたい姿から、いまの自分を見る」と、どう見える？

もう1つ、「行動要件」としてオーナーに指導した点は、どんなネイルサロンにしたいのか、「**ありたい姿を明らかにする**」ことです。

オーナーは、「ＯＬの人たちのやすらぎの空間にしたい」「美しくなることで、元気になってほしい」など、「ありたい姿」はきちんと持っていました。

ただ、店舗運営や経営のコンセプトが、オーナーが描く「ありたい姿」と合致していなかったのです。

目の前の経営状態ばかりに意識が向かい、自分のサロンを経営していく軸となる最も大切な「価値観（ありたい姿）」や「信念」を置き去りにしていたのです。

やはり問題は、「資源要件」の乏しさにありました。そこで、「お金」という資源が十分でないのであれば、**店舗の「人」の力や「知恵」をフル活用することで、資源不足を補う**ことを提案しました。

そして、「自分たちらしさ」を前面に押し出すことで、他店にはない「絶対価値」をつくるよう指導しました。

同じ提案やコンセプトの企画でも「自分たちらしさ」という違いが明確であれば、相手に与える影響力は大きく変わります。影響力が大きく変われば、目標達成への足掛かりをつくることが可能になるのです。

このオーナーは、目標達成に必要な「資源要件」と「行動要件」を知り、自分自身の仕事のやり方を修正していくことで、苦境から脱していくことができました。

目標を必達するには、「資源」と「行動」の2つの切り口から攻めてみることが最大の効果を生み出すことを知っておいてください。

5 人から「求められる仕事」で結果を出す

あなたは「求められる仕事」で結果を残せる人ですか？

なぜ、このような「質問」をしたかというと、人から**「求められる仕事」で結果を残すことが、あなたの評価や市場価値を決める**からです。

私は企業研修を通じて、多くの若手社員たちと接してきました。印象的だったのは、

「自分の好きな仕事が見つからない」と嘆くビジネスパーソンが非常に多いことです。

特に、若手層のリーダーシップ研修では、必ずといっていいほど、「自分の適職と

自分探し」をしている多くの人に出会います。

「いまの仕事は私には合っていない」「営業は苦手」「もっと良い仕事があるのでは」などと悩んでいる人が多いのです。

私は、そうした悩みを持つ人に、必ずこう言います。

「いま、求められている仕事をしっかりやりましょう」

私自身を振り返ってみても、「求められる仕事」に全力で向き合い、**自分ができるベストを尽くしてきた**ことが、人生を切り開いてきたと思います。

また、私は、人材開発コンサルタントとして、将来の幹部候補生や管理職を含め、延べ40000人以上のビジネスパーソンと接してきました。彼らの中で、キャリア形成を上手く進めている人は、やはり「求められる仕事」にベストを尽くし、結果を出してきた人たちと言えます。

「やりたい仕事」と「できる仕事」は、必ずしもイコールではありません。

やりたくなかった仕事でもベストを尽くし、成果を出そうとする過程で、その仕事の面白さを理解し、気づいたら高度な専門性を持ち合わせていた……できる人の中には、そのように成長していった人をよく見かけます。

私の元部下のN君もそうでした。

N君は、私の部門に配属されてくるやいなや、「大西さん、営業部門に異動させてください。人事部門はいやです」と初対面の私に自分の感情をぶつけてきました。話を聴いてみると、「海外営業がやりたい」ということが彼の志望動機だったのです。

さて、あなたは、N君のキャリアがその後どうなったと思いますか？

N君は、その後、**人事部門で管理職になり、転職して大手企業の人事部門の部長として活躍**しています。最初はやりたくなかった人事という仕事で、キャリアを形成していったのです。

なぜ、N君は、人事部門でキャリアを形成していくことができたのでしょうか？

きっかけがありました。

海外に新しい工場を建設する話が具体的になり、日本からの出張者や駐在員を現地で支援する人員が必要となりました。その役目を、N君が任されたのです。

N君は、3カ月間、アメリカに長期出張することになりました。

この経験が、N君の考え方を大きく変えました。現地で働く人を支援する仕事に取り組むうちに、仕事の魅力に気づいたのです。

3カ月が経過し、日本に帰国してからN君は、いまいる職場で「求められる仕事」でベストを尽くすようになりました。

採用の仕事を担当したり、労政部門の仕事を担当したりして、人事のキャリアを積み上げていき、転職後は大手企業の部長としていまも活躍しています。

彼にとって、「人事」の仕事は「向いている仕事」だったわけです。**「求められる仕事」に全力を傾けてきた結果、「向いている仕事」に変化**していったのです。

「できること」を磨き続けると、やがて「強み」になる

じつは私も、自分が人事や人材育成の仕事をするとは夢にも思っていませんでした。「やりたい仕事」より「求められる仕事」にベストを尽くした結果、自分の強みに気づくことができました。いまでは、その強みをもとに独立起業をし、こうして本を書く機会までいただいています。

私の経験からも、仕事で成功をしている多くのビジネスパーソンを見ても、「**1つのことができれば、ほかのこともできる**」と断言できます。

目の前の仕事に全力を尽くすと、その仕事の価値を相手に伝えることにつながります。N君の事例は、何もないところに工場を建設するという大事業の中で、自分は何ができるだろうと、自分が提供できる「絶対価値」を周囲の人に与えてきたからです。

そこには、計算も打算もなく、ただ、遮二無二取り組む姿が周囲の人の「承認」を引き出してきたのです。

「求められる仕事」で結果を残すための「修正ポイント」は、次の5つです。

1、いま「求められる仕事」に向き合い、まずは全力で取り組んでみる。
2、自分は「何が貢献できるか」を考え、行動する。
3、仕事で貢献できれば、人から「認められたり、褒められたり」、ありがとうという「承認」がもらえる。
4、「承認」をたくさんもらえることが「自分ができること」であり、それが「自分の強み」と言える。
5、「自分の強み」が見つかったら、それが人から「認知」されるように、さらに「強み」を磨く。

「求められる仕事」で成果を出すためには、まず「できることからやる」を実践してください。

5章

「体調を修正する」と、さらにパフォーマンスが上がる

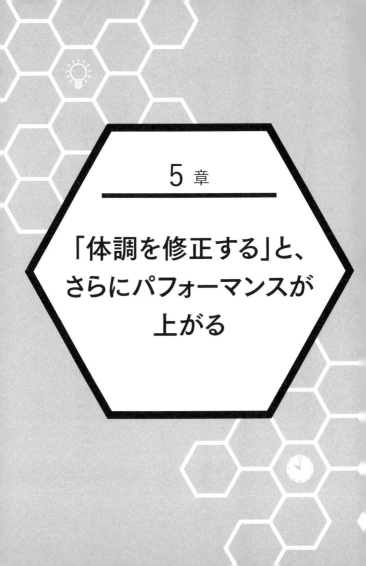

1

「がんばる」前に「がんばらずに済む」準備をする

仕事では成果を上げる必要があるため、スキルはとても重要です。

ただ、「スキルが高ければよいか」といえば、けっしてそんなことはありません。

ほかにも、重要な要素があります。

仕事で最大限のパフォーマンスを発揮して、成果を上げるには、**「体、感情、スピリット、スキル、ネットワーク」の5つを総合的に高め、調和を保つことが大切**なのです。

それぞれ、簡潔にまとめてみましょう。

1、体とは、運動、食事、睡眠、リラックスなどによる肉体管理のことです。
2、感情とは、怒りや不安、恐れといった感情をコントロールすることです。

3、スピリットとは、理念やビジョン、目標といった「あり方」のことです。
4、スキルとは、仕事に必要な専門的な能力などのことです。
5、ネットワークとは、公私にわたる人間関係のことです。

どれか1つが突出して重要という訳ではなく、すべての要素が重要です。

ただ、強いて挙げれば、日々の活動を支え、**仕事パフォーマンスを発揮するうえでの土台となる「体」と「感情」は、特に重要**だと言えます。この章では、「体」と「感情」の2つをあわせた「体調管理」についてお話ししたいと思います。

スポーツの世界には、「コンディショニング」という言葉があります。**最高のパフォーマンスを発揮するために、心身を最高の状態に整える**という意味です。

仕事でも、このコンディショニングという考え方が極めて重要です。

仕事で最大限にパフォーマンスを発揮するために、能力を向上させながら、疲れにくい体、打たれ強い心など、関連する要素を高めて、体調を万全に整えるのです。

快適な日常生活を送るために、気晴らしを行なったり体を動かすなど、心身を総合的に調律するといった意味合いもあります。

つまり、「**仕事への活力を高めるための体調管理**」ということです。

アスリートたちと同様、ビジネスパーソンも、みな「ハードワーク」をしています。目標達成への大きなプレッシャーと戦いながら、結果を出さなければなりません。

デジタル化によって便利になった反面、どこでも仕事ができる環境となったことで、気の休まる時間は少なくなりました。

心身の健康を保つことが、これまで以上に重要な課題となっています。

根性は「いざという時」に使う

日本のビジネス界には、いまだに「気合い」と「根性」がビジネスパフォーマンスを上げる要因であるという**誤った認識が蔓延**しています。

しかし、かつての高校野球の指導のように、「水を飲むな！」といった「根性論」はもはや通用しません。一時しのぎにはなったとしても、必ず破綻をきたします。

非科学的なマネジメントのやり方が「生産性」を下げている要因だということを、強く認識する必要があります。

私は、「気合い」と「根性」を否定しているわけではありません。「気合い」と「根性」は、意味のある時に使うべきだと思うのです。そのためには、どうしたら「気合い」と「根性」を効果的に発揮できるかを、科学的に考える必要があります。

私は、スポーツ心理学やコーチングをベースに、仕事でベストパフォーマンスを発揮する方法を研究してきました。

ストレスとパフォーマンスの関係をつきつめると、**ベストパフォーマンスを発揮する基本は「心身の健康」に行き着く**のです。

私が指導してきた現場では、ビジネスパーソンが抱える問題は3つに集約できます。

1、働く場所や環境によるストレス。
・海外赴任では、文化、習慣、環境の違いによるストレス。
・国内では、単身赴任生活による、食生活の乱れ、安らぎの欠如。

2、人間関係によるストレス。
・職場の人間関係が上手くいかない。
・自分より年上の人やベテランをマネジメントしなくてはいけない。

3、仕事の質と量、そして不適感。

・仕事で専門性を求められるが、スキルが追いつかない。

・目標を達成しなければならない、という過度のプレッシャー。

・仕事そのものにやりがいが見出せない。

こうしたストレスから、怒りや不安、恐れといったマイナス感情を引き出してしまい、仕事に大切な「チャレンジ精神」「積極性」などの創造的な活動に支障をきたすことが、非常に多いのです。

一過性の成果ではなく、継続して高いパフォーマンスを発揮していくためには、「心身を最高の状態に整える」必要があるのです。

次項から、具体的な方法を紹介していきます。

どれも、自分でできる「簡単コンディショニング法」ですが、その効果は「**仕事のみならず、人生の勝者になれる威力がある**」と言えます。

2

ここ一番では「気合い」より「平常心」が大事

ビジネスでもスポーツでも**成功する人は、「感情マネジメント」が上手**です。

心と体は「一体化」してはじめて機能します。ストレスやプレッシャーを感じて心が乱れていれば、体も素直にそれに反応するのです。

仕事で最もよくないのは、「キレる」こと——感情を爆発させることです。

その瞬間はスッキリするかもしれませんが、周囲の反応を見て、当の本人が必ず後悔することになります。人間関係に禍根《かこん》を残すなど、仕事に悪影響を及ぼすことは間違いないのです。

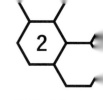

そのような事態を防ぎ、安定した仕事パフォーマンスを発揮するためにも、「感情マネジメント」は重要なのです。

私は、現在は、人材開発コンサルタントとして仕事をしていますが、以前は、野球選手としてのキャリアを積んできました。

大学卒業後は、社会人野球チームの名門、「本田技研鈴鹿（現ホンダ鈴鹿）」に入り、13年間で選手、マネージャー、監督を経験してきました。

その経験を通じて、私はビジネスにも通じる多くの教訓を学んできました。

「勝つか、負けるか」のプレッシャーのかかる場面で最も重要なことは、「いかに自分本来の実力を発揮するか」ということ。緊張してかたくなったり、不安にとらわれたりすると、私たちは、自分本来のパフォーマンスを発揮することが難しくなるのです。

私は、プロ野球で活躍するトップ選手たちとも接してきましたが、一流と呼ばれる人には共通点があることがわかりました。

それは、**ここぞという時でも変にがんばりすぎずに、「平常心でいる」**ということです。

この傾向は、ビジネスの世界でも同じです。

私は、外資系保険会社のフルコミッションのライフプランナー（保険外交員）の人たちに、メンタルトレーニングの指導をしているのですが、**高業績の人ほど、「平常心」で仕事に臨んでいます**。

逆に、成績が上がらないライフプランナーは、総じてがんばり方にムラがあります。

月初こそ、「よしやるぞ！」と意気込むのですが、その気力は長続きせず、月の後半には息切れしてしまい、モチベーションを維持できない傾向が見られるのです。

仕事では、「上手くいく時」も「上手くいかない時」もあります。

大切なのは、上手くいかなかった時でも、ジタバタして**変にがんばりすぎずに、平常心でいる**ことです。上手くいかない時は、ネガティブ感情が湧き起こることもあります。その感情を引きずらずに、仕事の成果につなげていくことが大切なのです。

「心の中に湧き出てくる感情」をノートに書き出してみよう

ライフプランナーとして働くKさんは、「感情マネジメント」によって、自分を上手にコントロールする方法を見出し、成績を上げることに成功しました。

私が相談を受けた時のKさんは、「ミーティングで高業績者が評価される姿を目にすると、怒りの感情が湧いてきて、どうしようもない」という悩みを持っていました。

Kさんは、ライフプランナーに転職する前の会社では、営業成績がトップでした。それが、いまではなかなか成績が上がらないことから、焦りを感じていたのです。

「俺の実力はこんなものじゃない」という思いとは裏腹に、結果はついてきません。そのような中で、同僚が表彰される姿に、自分のふがいなさを重ね合わせ、イライラを募らせていたのです。

私は、Kさんに次のような方法で、「感情マネジメント」を指導しました。

1、湧き起こる感情を「きちんと認める」。

「何であいつだけが……腹立つな」「俺の実力はこんなものじゃないのに……」など、自分のネガティブ感情をきちんと認識することが大切です。

ノートに自分のネガティブ感情から出てくる言葉を書き出して、「見える化」します。その行為を通じて、「ネガティブ感情」の存在が明確になります。

感情マネジメントは、感情を抑圧することが目的ではありません。ただ、「感じる」ことが第一歩です。

2、なぜ、そういう感情が出てくるのかを考えてみる。

自分で自分を「客観視」して、なぜ、ネガティブ感情が湧いてくるのか、その状

感情を「上手にコントロールする」コツ

1.感情を認める

自分の感情ノート
●何であいつだけが
……腹立つな。
●俺の実力は
こんなもんじゃない。
イライラ
ムカムカ

ノートに書いて「見える化」する。

2.感情の原因を考える

「他人と比較して、
ないものねだりを
している」のかも……。

3.対策を考える

他人とではなく、
「自分自身の成績」と
比較する。

感情をマネジメントしよう!

況を理解するのです。

たとえば、「彼が成績を上げることでなくて、自分が表彰されるレベルでないことに腹を立てている」といったことがわかれば、しめたものです。

3、具体的にどうすればいいか、対策を立てる。

感情に対し、「良い」「悪い」と評価する必要はありません。大切なことは、前向きに「どうすれば上手くいくのか」と具体的な解決策を立て、それを実行することで、ポジティブなエネルギーを高めることです。

Kさんは、まず、自分の中に湧き出てくる感情をノートに書き出すことから始めていきました。

ノートに書き出していくと、Kさんの「ネガティブ感情」が湧き出てくる原因が明らかになりました。

その原因とは、「他人と自分を比較すること」だったのです。

他人と比較して、「できた」「できなかった」と評価することより、「自分の仕事ぶりを内省する」ことのほうがよほど重要です。なぜなら、そこから修正すべき意識や行動を理解することができるからです。

具体的な解決策を考える場合、「どうする、どうする」と何度も自問自答することが有効です。

ポイントは、他人にその答えを求めるのではなく、自ら考えることです。

Kさんの解決策は、**「他人の成績と比較する」のではなく、「自分自身の成績と比較する」**ことを実践することでした。

しばらくすると、Kさんは、ミーティングで高業績者が評価される姿を目の当たりにしても、怒りの感情が湧いてこなくなりました。それとともに、Kさんは本来の実力を発揮していき、徐々に営業成績が上がっていったのです。

ネガティブな感情そのものが悪いわけではありません。

ネガティブ感情から、思考や行動に悪影響が出てくることが悪いのです。

ここで紹介した「感情マネジメント」を使い、感情を上手にコントロールするようにしましょう。

3

怒りも不安も「呼吸」で修正できる

「呼吸」を上手く使いこなすだけで、仕事のパフォーマンスはもっと上がります。

仕事でストレスを感じない人はいないと思いますが、ストレスをケアするうえで、**私が最も重視しているのが「呼吸」のマネジメント**です。

ストレスには、「良いストレス」「悪いストレス」の2種類があります。

「良いストレス」は、目標を達成する原動力となり、人間的な成長を促してくれます。「悪いストレス」は、過度な緊張を引き起こし、行動を阻害したり、心身の健康を損ねたりします。

私は、「悪いストレス」に陥ることを**ストレスにハイジャックされた状態**と呼んでいます。ストレスにハイジャックされてしまうと、「呼吸が浅くなる」「呼吸が速くなり、回数が増える」「心拍数が上がる」などの生理的な反応が起こります。過度な緊張です。

これは、自律神経にある交感神経と副交感神経のうち、交感神経の作用です。

交感神経は、「活動」する時に作用する神経で、副交感神経は、「休息」する時に作用する神経です。


交感神経が優位になりすぎると、緊張を引き起こします。仕事中は、時間に追われながら成果を上げることを求められていますので、交感神経が優位に働いています。

私がなぜ、「呼吸」のマネジメントを重視し、企業研修でビジネスパーソンに指導をするのか、理由は3つあります。

1、副交感神経を優位にし、リラックスすることができるため。
2、自分の身体機能をすべて発揮し、最高のパフォーマンスを発揮するため。
3、メンタル面での安定をはかり、仕事への集中力や意欲を増大させるため。

「呼吸」は、誰もが無意識に行なうことができます。そのため、その驚くべき効能に気づいていない人が、とても多いのが現状です。

前述したように、私は社会人野球で、選手、マネージャー、監督を通じて、13年間のキャリアがあります。勝負の厳しい世界に身を置いてきたからこそ、自信を持って言えるのは、「**呼吸を制したものが、勝負を制する**」ということです。

勝負の世界では、「この1球で勝敗が決する」というような、極限の緊張を強いられる場面があります。その場面では、「平常心」でなければ、最高のプレーはできません。

このような**緊張状態を緩和するために、唯一、私たちができること**は何か？

それは、「呼吸」しかありません。

「正しい呼吸」を意識的に行なうことで、交感神経と副交感神経のバランスが整い、緊張が解消されるのです。

仕事の例でいえば、企業研修で、「人の話を積極的に聴きましょう」と指導をしたとしても、プレッシャーを抱えている人は、他人の話を最後まで聴くことができません。「聴いてられるか……」「結論から言え」と部下の話を途中でさえぎり、自分の意見を言い始める人が大半です。

頭では、「聴くこと」の大切さを理解していたとしても、体は「話が聴けない」状態にあります。交感神経が優位に働き、「戦闘モード」になっているのです。

そんな時こそ、「呼吸」の力で、交感神経と副交感神経のバランスを整え、人の話を聴ける**心の安定を取り戻すことが大切**なのです。

呼吸は、人間の「最も優れたメンテナンス機能」

現代人は「呼吸が浅い」と言われています。

成人男女の1分間当たりの平均呼吸数は12回から16回です。肺の容量全体からすると、20パーセント程度しか活用できていない計算になります。

理想の呼吸は、1分間に8回から10回です。これだと、肺の容量の50パーセントを使いこなすことができます。

「正しい呼吸をする」、ただそれだけのことで、血圧や心拍数の正常化、疲労回復、意欲向上など、様々な効果を引き出すことが可能です。

ビジネスは、人間が行なう社会活動です。人間の機能を上手く使いこなすことで、パフォーマンスはもっと上がるのです。

ぜひ、「呼吸」マネジメントを始めてください。

「呼吸」マネジメントのやり方を説明しましょう。私は「**丹田呼吸法**」を行ないます。

1、鼻から息を3秒間深く吸う。
2、その息を3秒間止める。
3、10秒から15秒ほどかけて、鼻から息をゆっくり吐いていく。
4、これを15回から20回ほど行なう。

注意点は、ゆっくりと息を吐きながら、**丹田（おへその下10センチ辺りのところ）に意識を集中**し、お腹をへこませるイメージで、息を吐ききるようにすることです。

イライラしている時に一度、心拍数を計ってみてください。それから、丹田呼吸法を行ない、心拍数の下がり具合を確認してもらえれば、違いが体感できます。

どうしても時間に追われ、成果に追われ、あくせくしがちなワーキングスタイルは、自然に私たちの交感神経を優位にします。そのような時こそ、「呼吸」マネジメントで副交感神経を働かせて、自律神経の修正を行なってみてください。

人間の持っている機能を使いこなすことで、仕事のパフォーマンスは上がるのです。

4

ストレスは「味方」にすると力になる

ストレスとのつき合い方次第で、仕事のパフォーマンスは大きく変わります。

ストレスを味方にすることができれば、アスリートが大舞台で力を発揮し、記録を更新するのと同じように、**パフォーマンスを上げる原動力にすることができます**。

問題は、ストレスに支配されてしまい、自分本来の力を発揮できないことにあります。いわゆる、ストレスにハイジャックされてしまう状態です。

ストレスを受けると、緊張と興奮を司る「交感神経」が優位に働きます。

交感神経が優位の時は、行動が速くなったり、メールの文章が乱暴になったりして、行動に悪影響が出ます。

いかに、ストレスと上手につき合い、自分の力に変えていくかが重要なのです。

本項では、その具体的方法について述べていきたいと思います。

通常、ビジネスパーソンが抱える主なストレスは、次の4点に集約できます。

1、仕事中の自由度がない、「拘束感」によるストレス。
2、仕事で成果がなかなか上げられない「仕事に対する不適感」によるストレス。
3、上司や同僚、取引先相手など、人間関係における「関係性」のストレス。
4、仕事が上手くできるかという「不安・焦り・恐れ」によるストレス。

どれも、目の前で起こっている状態を否定的に感じることで起こる現象です。

この中で、不安、焦り、恐れといったメンタル面のストレスは、現実には起こっていないのに自分の思い込みから生じることが大半です。逆に言えば、**自分の思い込みを変えれば、現実のストレス状態を緩和することができる**ということです。

大切なことは、**自分の状態を知り、その状態を感じとり、具体的に対処する**ことです。

どうすれば、ストレスを受けた自分の状態を変えることができるでしょうか？

たとえば、緊張している時は「ゆっくり歩く」

ストレスを受けた時は、「身体面」「感情面」「スピリット（あり方）面」の3点からのアプローチが有効です。

私はその方法を「**クイック・リカバリー・プログラム**」と名づけています。具体的にどんなことをすればいいか、簡単に紹介しましょう。

1、身体面からのアプローチでいまの状態を変える。

・深呼吸を行なう（腹式呼吸・丹田呼吸を行なう）。
・緊張している時は、いつもより「ゆっくり」行動する。
・逆に、だらけている状態の時は、「速足」で歩く、階段を駆け上がる。
・肩の力を抜いて、「跳躍運動」（その場で軽くジャンプ）をする。
・不安な時は、目線が下がるため、目線を水平より上に上げる。
・背筋をピンと伸ばす。

・ガッツポーズをする（自分がパワーを感じるしぐさを行なう）。

2、感情面からのアプローチでいまの状態を変える。

・太ももを3回強くたたく。それにより、「いやなことはこれ以上考えない」という合図にする。
・ハンドクリームを塗り、においで嗅覚から大脳への直接刺激で不快感を撃退する。
・いやな感情をノートに書き出し、自分の感情の原因を確認する。
・自分の好きな音楽を聴いてみる。
・気晴らしに散歩する、体を動かしてみる。
・「緑」「青」など、沈静化する色を眺めてみる。
・好調の時の自分を思い浮かべる。
・とにかく笑う。

3、スピリット（あり方）面からのアプローチでいまの状態を変える。

・「この状況を打開するには、何をする？」といったように、自分に問いかける。

・いまの状態は「思い込み」からきていることを感じ、その「思い込み」や「意味づけ」を修正する。たとえば、いまの状況を「ピンチ」と思い込まずに「チャンス」と考える。「好きな仕事につけていない」ではなく、「どんな仕事が向いているのか」と、仕事への向き合い方を変えてみる。
・仕事の基本を見直す。
・少しだけやり方を変えてみる。
・できることに集中して、それをやり遂げる。

以上が、私が企業研修の現場でレクチャーしている「クイック・リカバリー・プログラム」です。自分がストレスや悪い感情に支配され、自分を見失ってしまいそうになった時に、有効な方法です。

ストレスに支配されそうになった状態を修正するためには、**とにかく「行動」することが大切**です。

いま、紹介したものの中から、自分にあった方法を実践してみてください。

5

「体を動かす」が頭のいいリフレッシュ法

つねに体調を万全の状態に整えるためには、「運動、栄養、休養」の3つが重要です。

ここで、私が研修などで参加者のみなさんに必ずする質問があります。

・肩こり、腰痛などの症状がありますか？
・仕事でイライラすることが多いですか？
・運動不足だと思いますか？
・家族と過ごす時間が足りないと感じますか？
・自分の時間が足りないと感じますか？
・食生活が乱れていると思いますか？

あなたは、この質問にいくつ該当したでしょうか？　2つ以上該当した人は、けっして体調が万全とは言えません。体も心も疲れ気味の状態です。

体調を万全に整えるためには、「運動、栄養、休養」の3つをバランスよくケアする必要があります。そこでいい方法があります。

「アクティブレスト（積極的休養）」を習慣にするのです。

これができれば、体調が万全になり、仕事パフォーマンスは確実に上がります。

アクティブレストは、漫然と体を休めることとは違います。

むしろ、**積極的に体を動かし、血液の循環を促すことで、心身の状態を整えていく、**文字通り、アクティブな休息法なのです。

なぜ、体を動かすことが休息につながるのでしょうか？

運動をすることで、セロトニン（興奮しすぎた脳を鎮めて幸福感をもたらすホルモン）、ドーパミン（やる気や興奮、快感に関わるホルモン）などの神経伝達物質が分泌されます。

セロトニンは、夜になるとメラトニンという物質に変わります。メラトニンは、「睡眠ホルモン」とも呼ばれ、分泌が高まることで、私たちの体を「休息」に適した状態に導いてくれるのです。つまり、**熟睡がしやすい状態にしてくれる**ということです。

これが、運動をすることで体が回復するメカニズムです。

運動は、自分の好きなもので構いませんが、**ウォーキングやジョギングなど、「有酸素運動」を行なうと効果的**です。

激しい運動をする必要はありません。**少し息がはずむ程度の強度**で、30分から60分程度、続けることが理想です。一緒に、「ストレッチ」を行なうと、一層効果的です。

血流がよくなるため、疲労回復が促されるのです。

私は、仕事帰りに一駅先から自宅までのウォーキングを実践しています。だいたい30分くらいを少し速歩で歩いています。

スポーツクラブに通うのは無理でも、日常の中に運動を組み入れることで、アクティブレストを実践しています。

私たちは、日頃、ストレスやプレッシャーを感じながらハードワークをこなしています。心身の状態をよりよい状態にすることが、最高のパフォーマンスを発揮することにつながります。企業研修では、アクティブレストを管理職から新入社員まで幅広く指導しています。

ハイパフォーマンスを生む体調のつくり方

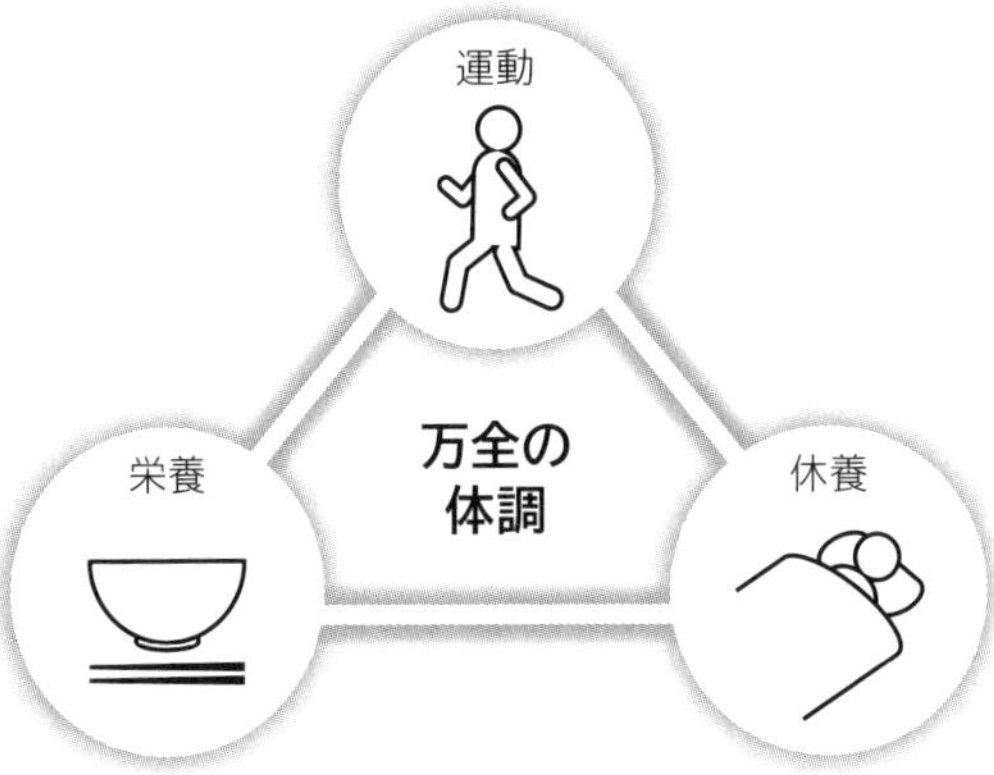

アクティブレスト（積極的休養）を習慣にしよう

おすすめは、ウォーキングやジョギング！

血流がよくなり疲労の回復が早くなる！

朝から頭が冴えまくる「朝食」のコツ

「アクティブレスト（積極的休養）」には、運動だけでなく、「栄養（食事）」や「休養（睡眠）」の要素も含まれています。20代の若手層には、**「食事」についても基本的な考え方を指導**しています。

20代は親元を離れ、一人暮らしをする人が多いです。きちんと食事面の管理をできる人ならいいのですが、どうしても食生活が乱れがちです。

特に、気になるのが、朝食をとらずに出社する若者が多いことです。

研修を行なうと、必ず参加者にアンケートをとるのですが、過去10年間の調査では、**「10人中5・5人は朝食をとらない」という結果が出た**のです。

朝食をとらずに出社して、午前中を空腹で過ごし、昼食で一気に食べると、昼食後に血糖値が急上昇し、眠くなります。

午前中はエネルギーが足りないため活力が出ず、昼食後は血糖値が上がった反動で眠たくなる、一番元気なのは、就業時間の終わりかけの夕方だった……。

これでは、仕事の生産性が上がるはずがありません。

人間には「太陽が昇るとともに起床し、明るい時間帯に活動し、太陽が沈んだら活動をやめ、夜は睡眠をとる」という生活リズムがあります。

このリズムにそって生活をするのが、**人間にとって理想**なのです。

だから、20代の若者には、「朝食は必ずとる」ように指導をしています。

睡眠中には、夕食でとった食べ物を消化・吸収して、残ったカスを便として大腸に送り届ける作業が行なわれます。この体の機能を、「**セルフクリーニング**」といいます。

朝食は、睡眠中にきれいになった内臓が1日の最初に受け入れる食べ物です。それに、朝食をとることで腸が刺激され、便として排泄されます。

だから、朝食をとることは大切なのです。

では、朝食に何を食べればいいでしょうか？

じつは、夜間、セルフクリーニングを行なう際に、水分と糖質が最も消費されます。

そこで、次の日の朝食では、水分と糖質を補えるメニューを選ぶといいでしょう。

時間のないビジネスパーソンの朝食として、簡単に食べられ、かつ、栄養価の高い朝食を紹介しましょう。

朝食メニュー①：「もずく納豆ごはん」

ごはんに、もずく約30グラムと納豆1パックをまぜてかけるだけで完成です。もずくは、ミネラルが豊富です。納豆は「畑の肉」と呼ばれるほど栄養豊富な発酵食品。タンパク質もビタミンも豊富で、腸を整える効果も抜群です。

暑さで食欲が落ちがちな夏には、特におすすめの一品です。

お好みで、すりゴマ、じゃこ、青海苔、キムチなどを加えてみてもいいでしょう。

朝食メニュー②：「フルーツ入りヨーグルト」

ヨーグルトなどの発酵食品は、毎朝食べてもいいです。納豆同様、ヨーグルトは、腸を整える効果が抜群です。腸を整えると、免疫力が上がるため、体調管理にうってつけの食品です。バナナやりんごなど、フルーツを加えてみてください。

あなたのライフスタイルは、そのまま仕事のパフォーマンスに直結します。

休み方をほんの少し修正するだけで、仕事のパフォーマンスは上がるのです。

6

できる人は「他人の評価」ではなく「自分の評価」にこだわる

組織の中で、「自分らしさ」を発揮できずに苦労している人はたくさんいます。

「自分らしさ」を発揮できない理由は、「よく思われたい」「評価されたい」などと、**他人の評価を気にしすぎる**ことにあります。自分では気づかないうちに、「等身大の自分」ではなく、**「他人目線の自分」を演じてしまっている**のです。

特に、20代の若手ビジネスパーソンは、自分に対する評価を気にしすぎる傾向が強いです。

もちろん、自分が上司や会社からどのような評価を受けているか、知ることは大切です。それをしなければ、課題を知ることも、修正をすることもできません。

要は程度の問題なのですが、他人の評価を意識しすぎてしまうと、それにとらわれてしまって、本来の自分の姿を見失ってしまいがちなのです。

「こうしなければいけない」と強く思えば思うほど、どんどん本来の自分とはかけ離れていき、他人の評価にかなった「他人目線の自分」になってしまうのです。

前にも述べたように、心と体は「一体化」してはじめて機能します。

心と体が「一体化」するとは、意図的に仕向けるのではなく、「自分が自分らしくふるまう」ということなのです。**「ありのままの自分」でいることが最も強い**のです。

外資系保険会社のフルコミッションの営業マンを指導していた時のことです。

彼は、「保険営業でいかに成功するか」ということに心を奪われ、数多くのセミナーに参加していました。「成功した人のやり方」を学んだまではよかったのですが、成功した人のモノマネばかりするようになりました。

いろいろ試してみるものの、どれも長続きせず、また、違うセミナーに参加して成功法則を探し……とさまよい続け、悩んだあげくに、私に相談にきたのです。

私が真っ先に彼にアドバイスしたのは、「他人のモノマネより、自分のスタイルを確立しよう」ということです。

「自分の考えたやり方で挑戦し、振り返り、上手くいかなかったら修正する。これを、楽しみながらやってみませんか」と伝えました。他人の成功法則にこだわりすぎて、自分の強みを活かしきれていないと感じたからです。

その後、彼はマニュアルや他人の成功法則ではなく、「自分のスタイル」づくりに取り組んでいきました。得意なお客様にターゲットを絞り、丁寧にアプローチするスタイルへと変えていきました。また、ネクタイはいつも派手な赤を着用するなど、自分なりの個性を打ち出すようにしたのです。

こうして、自分がしっくりくる営業スタイルに変えたことで、徐々に結果もついてくるようになりました。1年半後、彼は生命保険・金融サービス専門職のトップクラス「MDRT」のメンバーに成長していきました。

仕事では、他人と違うことが「人の価値」になる

仕事で成功している人は、「自分のスタイル」を確立しています。

人から見たら疑問に思うようなスタイルでも、当の本人が「これが自分」と感じられるのであれば、それが最もパフォーマンスが上がるやり方であり、スタイルです。

わかりやすい例を挙げれば、メジャーリーガー・大谷翔平選手の「二刀流」です。

「投手」と「打者」の両方で一流を目指す――。彼が「二刀流」に挑戦することを表明した当初、多くのプロ野球解説者が彼のスタイルに苦言を呈しました。しかし、大谷選手は、それに臆することなく「自分らしさ」を追求し、メジャーリーグでMVPを獲得するなど、見事、才能を開花させたのです。

大谷選手は、「自分らしさ（自分スタイル）」を持つことの大切さを、私たちに教えてくれているように感じます。

人はみな違います。**100人いれば、100通りのやり方があって当然**です。

他人と違っても大丈夫です。というより、**「他人と違うからいい」**のです。

ビジネスの現場では、他人と違うことが「差別化」であり、その人の「強み」であり、その人だけが持つ「絶対価値」になるからです。

会社はブランディングや他社との差別化を重視するにもかかわらず、社員に対しては、いまだに「同質化」や「横並び」を求めがちです。

だからこそ、自分で「自分のスタイル」とはどういうものかを見つめ直し、大切にしていくべきなのです。

6 章

結果を出すリーダーは「チームをまとめない」

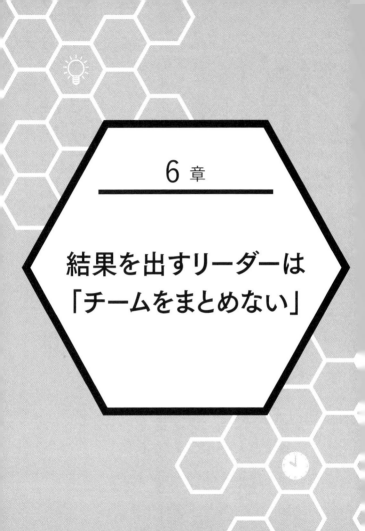

1 結果を出すリーダーは「ペップトーク」を上手に使う

私たちに、最も修正が必要なのは、「仕事の生産性」に対する意識と行動です。日本の「時間当たりの労働生産性」は、ＯＥＣＤに加盟する38カ国中27位（２０２１年）と、きわめて低調です。アメリカ、ドイツ、イギリス、フランス、カナダ、イタリアなど、主要先進7カ国の中では、最下位の状態が続いています。

仕事の生産性をいかにして上げるかについて、本気モードで取り組んでいかねばなりません。私たち個人ができることは、ムリ、ムダ、ムラを徹底的に省き、自分の仕事の生産性を上げることです。

リーダーの仕事とは、**部署やチームの生産性を上げるために、「働く環境」と「やりがい」を徹底的に高めること**です。

中堅、若手向けの研修で、私は必ず次の質問をします。

「仕事をするうえで、最も意欲を下げることはどんなことですか？」

この質問に対し、最も多い回答は何かわかりますか？

堂々の第1位は、「上司の一言」なのです。たとえば、

「こんな簡単なこともできないの？」

「この程度の企画書しかつくれないのか？」

「やる気あるの？」

パワハラまがいの言葉が並びますが、現実に、こうした一言が出るのです。

困ったことに、上司のほうは、きちんと部下を指導しているという意識を持っています。一方、若手は、単に怒られているという感覚でしかありません。

この意識のズレが、上司と部下の関係性を悪化させ、働く若手層の意欲を著しく低下させているのです。

近年、リーダーシップ研究は、「脳科学」の分野を応用するところまで進んでいます。

その研究では、次のようなことも明らかになっています。

・部下を「肯定的に励ますマネージャー」のチームは、部下を「あまり褒めないマネージャー」のチームと比べ、31パーセントも業績が上回っていた。
・職場メンバーが「幸せ」を感じられたり、「ポジティブな感情」を抱いたりすると、仕事の生産性が31パーセント向上する。

褒めることが苦手な管理職にとっては、やり方を根底から覆す研究と言えます。

部下の生産性を高めるためには、上司は「**やる気を高める言葉**」を使う必要があります（個人の場合は、2章で紹介したように、ポジティブな「セルフトーク〈ひとり言〉」を使うことが重要です）。

チームを組んで仕事をする場合、リーダーは、チームメンバーのやる気を引き出すために「ポジティブな言葉」を意識的に使う必要があるのです。

リーダーの言葉は、「害にもなるし、益にもなる」ということです

では、どのようにポジティブな言葉かけを行なえばよいのでしょうか。

「**ペップトーク**」を意識して使うのです。

「ペップトーク」とは、**指導者が選手を励ますために行なう激励メッセージ**のこと。「がんばれ!」だけでは、人はなかなかがんばれないものです。すでに、みんな全力で仕事に取り組んでいるからです。

結果を出すリーダーほど、人に勇気を与え、仕事に対する動機づけを促し、やりがいを高める言葉を送ります。

やる気を高める言葉がけこそ、リーダーシップそのものなのです。

リーダーのみなさんは、部下の目線に合わせ、適切なペップトークをしてみてください。参考までに、ペップトークで効果的な一言を紹介しましょう。

「ねぎらい・感謝・承認・激励・支援」を言葉にする

「よく考えたね、とてもいいアイデアだよ!」
「難しい案件だけど、挑戦してみよう!」
「失敗から学ぶことはたくさんあるよ」
「仕事は楽しまないと、効率は上がらないよ!」

「上手くいかない時こそ、自分を成長させてくれるから」

「いつも、細かいところまでチェックしてくれてありがとう！」


共通しているのは、「ねぎらい・感謝・承認・激励・支援」の言葉だということ。

人は、目の前の仕事に障害が出ると、やる気が下がります。仕事のやりがいを高めるためには、「前向きに、さあ、やろう！」と背中を押す言葉をかけてあげることが大切なのです。

やる気の出る言葉を、リーダーだけでなく、チームメンバー全員が使えれば、チーム全体のやる気も上がります。

一言をかけてもらえたら、そしてあなたがかけてあげられたら、どんなに素敵でしょうか。

ぜひ、ご自身の仕事の現場で「ペップトーク」を活用してみてください。

2

最高のリーダーは「役職」ではなく「役割」を重視

私は、「最高のリーダーは、チームをまとめない」というテーマでワークショップを行なっています。

ワークショップに参加をしてくださるのは、東証一部の大手企業、中堅企業、銀行など、業種は多種多様ですが、私がお伝えするのは、いつも一緒で、**「チームはまとめない！」**ということです。

なぜなら、**それが「本質」だから**です。

ワークショップ参加者からは、「まとめなくてどうするの？」という質問が当たり前のように出てきます。そこで私は、参加者に対し、

「チームをまとめるってどういう状態ですか？」

「チームをまとめる目的は何ですか？」

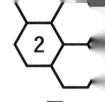

「チームがまとまると出る成果とは？」

などなど、本質的な質問をシャワーのように浴びせていきます。

「修正」には、固定観念を打ち破る必要がありますので、たくさん質問をして、「なぜ？」を探求していただくのです。

参加者のみなさんは、一様に、私の質問に困惑と戸惑いの表情を浮かべます。

「チームはまとめるもの」という固定観念があるため、頭の中は「？」マークでいっぱいになってしまうのです。

「まとめる」とは「従わせる」というニュアンスがあります。

しかし、チームとは「個人の集合体」です。そもそも個人はみな違うのですから、それを無理やり従わせることは不可能なのです。

チームとは、**メンバー全員がベクトルを合わせ、同じ目標に向かって進む「運命共同体」**のことを言うのです。

私がチームの本来のあり方を説明すると、参加者のみなさんは、「チームをまとめる弊害」に少しずつ気づき始めます。

いまだに小学校では、「前へならえ！」に象徴される「集団主義」的な教育が行なわれています。学校体育とは、明治政府が富国強兵策の一貫として、体を鍛えることを目的に取り入れたものです。「気をつけ！」や「前へならえ！」は、軍事教育の名残でもあるのです。

それが、いまなお続けられているわけですから、日本の教育界には「集団主義」を重んじることが「信念」として植えつけられている、と言っても過言ではありません。

「集団主義」とは、個性を隠して人と同質化することと同義です。人と同じ行動をとり、形だけまとまることに、何の意味があるのでしょうか。

不確実性が高く、変化の激しい時代に、集団主義で勝利できますか？

「最高のリーダーはチームをまとめない！」にこめられた真意とは、そうした**旧態依然の指導法に対するアンティテーゼ**なのです。改めて、「人と組織」というものに向き合って考えてほしいという、私からのメッセージです。

議論をする時は、「上司も部下も対等」

私は、「**個人の個性や能力が存分に発揮された中でのチームワークづくり**」が最も大切だと強く信じています。

私が主張する「まとめる」という言葉には、次の意味が含まれています。

・「まとめる」とは、「同質化した人」であることを求めている。
・上司が部下にトップダウンの指示命令で従わせる。
・チームは「役職重視」で「役割重視」ではない。ポジションが高い人が偉い。
・会議で議論して決めたことが、上司の一言で、オセロゲームのように「白」が「黒」に変わる。
・部下は上司の意見に「反対意見」を言えない。

ここ数年で起こっている企業不祥事から言える共通点は、「リーダーシップ（影響力）の間違った行使」と「右へならえの会社の風土」です。

私自身も社会人野球の監督時代、ホンダの管理職として仕事をしている時、まとめようとしすぎた結果、成果を上げられなかったという苦い経験をしました。その経験が、大学院で組織論やリーダーシップ論を学ぶきっかけになり、いまなお、「どうしたら最高のチームがつくれるか」を探求しています。

いつの時代も、「チームづくりの本質」は変わりませんが、私たち自身が「思い込み」で変質させていることに気づき、修正する必要があります。

チームにとって最もよい状態とは、**個人のベクトルがチームのベクトルに向いている**、という状態をつくり出すことです。

「役職重視」ではなく「役割重視」。上司の権力で無理やりまとめるのではなく、「**個を尊重し、個の能力の最大化をはかりながら、チームメンバーの共創環境をつくり出す**」という意識に修正してください。

「チームをまとめる」ではなく、まず「個人を活かす」。そして、「仲間づくり」を行ない、それぞれの役割を明確にして、1人ひとりのリーダーシップの発揮を促すことにほかなりません。

それでも、やっぱり「チームはまとめないといけない……」と考えている人は、次のようにしましょう。

まず、チームメンバー全員が、売上目標や戦略以外のところで「共通認識」が持てるものをつくってください。会社の場合だと、「企業理念の理解と実践」です。

そして、それぞれの部署やチームで、「企業理念」を話し合います。

「何のために、誰のために、自分たちは何をするのか」という使命を明確にして、それをメンバー全員で共有する「対話」を繰り返し行なうのです。

チームの「スローガンをつくる」ことも有効です。

ただし、上位者がスローガンを一方的に決めるのではなく、みんなで話し合ってつくることがポイントです。その過程で、チームの目指すべき方向や大切にすべきことが理解でき、具体的な日常の行動に反映されるようになります。

最も大切なのは、「チームメンバーとの対話」です。

リーダー（上司）からの一方通行のコミュニケーションではなく、双方向の「ツーウエイコミュニケーション」で相手との対話をたくさん行なうことが大切です。

上司や部下という立ち位置ではなく、人と人との関係性による「**仲間意識**」が醸成されていきます。

「共通認識」や「共通言語」を持つ仲間として、メンバーがチームの成果を高めるために貢献してくれる時、はじめてビジネスに勝利する最高のチームになります。

3

若手が育つ指導法は、「OJT」より「OCD」

若手の育成に苦労をしている会社は、とても多いです。

あらゆる業種で、**OJTが機能しなくなっている現状**があるからです。

OJT（On-the-Job Training）とは、業務を通して上司や先輩社員が部下の指導を行なう実践的な教育訓練です。上司と部下、先輩と後輩といった「垂直関係」で行なうのが、OJTです。

なぜ、OJTが機能しなくなっているかといえば、いまは、かつてのように、管理職が部下のマネジメントだけをしていればいい時代ではなくなったからです。

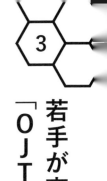

管理職は、「プレイング・マネージャー」として、会社から「4番打者」としての役割と、「コーチ」として部下を育てる役割の2つを求められるようになりました。

部下を育成すること以上に、自身の仕事の成果を求められます。様々な会議に参加し、複数の仕事をこなす中で、OJTをしなければなりません。

多くの管理職が、2つの役割のはざまで若手の育成に悩んでいます。限られた時間の中で、若手と十分な対話の時間が持てずに、やむなく「指示命令」の一方通行型のコミュニケーションをとっている管理職は非常に多いです。その結果、若手が成長する機会を失い、意欲の低下や離職を引き起こしているのです。

もはやOJTは限界。「部下の指導はOJT」という思い込みを修正しましょう。今日から、**部下の指導は「OCD」**というやり方に切り替えるのです。

OCDとは、「On-the-Chance Development」の略です。日本語に訳すと、「**機会開発**」ということです。

どんどん若手メンバーに仕事の機会、チャンスを与えて、「人を育てる」のではなく、**「人が育つ」方向に修正するやり方**です。

企業の現場では、「若者の主体性が発揮されない」と嘆く人事部門の方や現場の管理職の言葉をよく耳にします。「自分から動かない……」という評価ですが、やり方を「修正」することで、若手が動くようになります。

「いまの若者は、主体性の発揮がない」というステレオタイプに陥らず、「**仕事は、**

若手を育てる成長の機会」と、仕事の解釈と意味づけを「修正」してください。

「失敗をしたら問題になる。失敗させられないので、最後は上司が口を出す」という傾向の会社が多いのも事実です。

「挑戦する仕事」を決めて、部下の主体性を引き出す

では、あなたに質問です。考えてみてください。

「あなたが、成長したと感じる（感じた）のは、どんな経験ですか？」

参考までに、私の例をいくつか紹介しましょう。

1、上司が自分の実力以上の仕事のテーマをくれた時、それを成し遂げようと精いっぱい努力した経験。

2、勝てなかった社会人チームを「どうしたら勝てるか」と考え抜いて、自分の役

割を果たし、日本一になった「成功体験」。

3、海外駐在で、これまでとはまったく違う環境で苦労しながら働いた経験は、自分を見直すいい機会になった。

人は、多くのことを「経験」で学びます。私もあなたも「経験」で成長するのです。人が成長するうえで最も大切なことは、**「自分がやる！」という自発性であり、「主体的な行動」**です。

若手を育てるうえで重要なのは、**若手の「主体性」を引き出す仕事の機会をいかに多くつくるか**ということです。それが「ＯＣＤ」の行動指針となります。

ＯＪＴは、上司や先輩が、部下や後輩に「教える」という行為です。上司や先輩が教え上手かどうかで、質が変わってきます。それに上司が職場にいないことが多いと、ＯＪＴをする機会そのものが減ってしまいます。様々な弊害があるのです。

「ＯＣＤ」に切り替えることで、若手のやる気に火をつけましょう。

ＯＣＤ（機会開発）を行なう際の基本行動を紹介します。

1、部下の個性や能力、動機のポイントなどを知る「タレントレビュー」を行なう。部下の長所や短所、やる気が出るポイント、夢、将来やりたいこと、など等身大の人物をよく理解する。タレント事務所の社長のように新人タレントの強みを活かすように、個性と能力をしっかり把握する。

2、タレントレビューから、部下に仕事の機会をつくる。たとえば、半年ごとに「挑戦する仕事（自己申告）」を決めて、部下に任せて取り組ませる。

3、双方向のコミュニケーション（ツーウエイコミュニケーション）を行ない、進捗について月に1度、話し合う。

4、翌月の挑戦行動を明らかにして、お互い確認し合う。

5、仕事で困った時は、相談に乗る。

6、つねに「できる」と励ます。仕事で上手くいかない様子の時は、勇気づける。

7、仕事で上手くできた時、成果を出した時は、その結果を喜び、分かち合う。

私は「**人の可能性は無限**」だと信じています。

主体性を引き出すOCDで、若手をできる人に成長させましょう。

4

給料日は「お金の振込日」ではなく「努力を認める日」

あなたの職場は、みんなが「イキイキ」していますか？

役職を越えて、職場の仲間が「喜び合い」「分かち合う」ことができる会社は、自然と活気が生まれます。

どんなに社歴を重ねていても、職場の人間関係がギスギスして、**社員がイキイキしていなければ、企業は衰退してしまう**のです。

1日24時間のうち、最低8時間は会社にいます。

「職場」の状態が働く人にとって「快」なのか、「不快」なのかによって、「人と組織のイキイキ度」は変わってくるのです。

管理職研修の現場で毎回尋ねる質問があります。それは、

「給料日に職場のメンバーに声をかけていますか？」

という質問です。

なぜ、このような質問をするかというと、管理職の人が、「人事評価と労働対価」という基本を忘れているからです。

その基本は何かというと、

・管理職は、社長に変わって人事評価を行なう。
・給与は、「労働の対価」として支払われる。

この基本を理解したうえで、今度は、働くメンバーの意欲をさらに引き出すためにどうするかを考えてみます。

私は、**「給料日」というシーンを活用する方法**をおすすめしています。たとえば、

・給料日には、メンバーに「ひと声」かけて、労をねぎらう。
・「仕事で困っていることはないか?」質問し、困りごとがあれば、積極的に聴く。
・日頃の取り組みを評価して、仕事への動機づけを行なう。

・「期待」を伝える。

などなど、給料日を、単に「銀行口座にお金が振り込まれる日」という意味づけから、**「仕事の成果を分かち合う・喜び合う日」という意味づけに変える**のです。

それだけで、職場のメンバーは、上司に対して「自分のことを理解してくれている」というポジティブな感情を持つことができるのです。

これは、「承認」という行為です。人は、**期待の言葉をかけられると、「承認欲求」が満たされることで、活力が湧いてくる**ものです。

仕事のできる人には、自然と仕事が集中するものです。上司の心情とすれば、やはり、できない人より、できる人に仕事を任せたほうが安心だからです。

その結果、自然とできる人は上司とのコミュニケーションをとる回数が増えます。

ただ、職場を支えてくれているのは、できる人だけではありません。メンバー全員の存在があるからこそ、仕事が回っていくのです。

管理職の人は、そのことを絶対に忘れてはなりません。

「月に1回、成果を分かち合う」習慣

給料日は、職場のメンバーに対して、日頃の労をねぎらい、成果を分かち合い、一緒に喜ぶ――。

月に1回、それを行なうだけで、職場の雰囲気はずいぶん変わります。**メンバー同士の結びつきが強くなり、自然とチームに一体感が生まれる**ようになるのです。

ここで、私の社会人野球監督時代のつたない経験をお話しさせていただきます。

ゲームがもつれて後半になると、代打や代走を送る機会が出てきます。監督の采配の見せ所です。

でも、肝心なのは、起用した控え選手のモチベーションと大胆な行動です。それがなければ、勝利を手にすることはできません。

控え選手は、実力的に何かが足りないから控え選手なわけです。

しかし、チームが競り合っている場面や、逆転しなければならない場面では、その**控え選手のがんばりが絶対に必要**です。

監督の役目とは、グラウンドで戦うレギュラー選手だけでなく、控え選手を含めた

チーム全員を「勝利」に向けて1つにすることです。

私は、こうした経験から、「**メンバー全員で仕事の成果を分かち合い・喜び合うことで、職場は活気づく**」という大切な教訓を学ぶことができました。

これが、スポーツで言うところの「ワンチーム・ワンハート」ということです。

管理職は、単なる「管理をする人」ではなく、「経営者としての意識」を持つようにしてください。

私からすると、**1カ月に1度、仕事の成果を「分かち合う」ことができる**のが、「給料日」です。

年に12回も「承認」を与えることができるのです。

「場をどのように意味づけるか」について、創意工夫をしていただきたいと思います。

小難しいMBAの理論よりも「人としての本質」のほうが大切だということに気づいて、意識と行動を「修正」してみてください。

5

報告は、「部下から」だけでなく「上司から」も行なう

たった「5分間」で、自分やメンバーの「やる気を高める」ことができます。

やる気を出すことの大切さは、誰もが認識するところです。にもかかわらず、私たちが、**やる気の高め方を学ぶ機会はほとんどありません**。誰もが、自己流で行なっているのが実態ではないでしょうか。

私が企業から依頼を受けるコンサルティングの9割以上が、じつは「やる気」に関する相談で占められています。

仕事への意欲が高いとはいえない組織には、共通点があります。

1、自由闊達に話し合える職場の雰囲気ではない（場づくり）。

2、上司は、双方向の「対話型」ではなく、一方的な「指示命令型」（スタイル）。

3、メンバー間の関係性が良くなく、お互い助け合わない（チームワーク）。

4、自分の仕事のやりがいが高いとはいえない（働く意欲）。

だいたい、この4つに集約することができます。

あなたの職場は、上司や部下、年長者と若手など、世代や階層を超えて話し合う、自由闊達な雰囲気があるでしょうか？

10点満点で言うと、何点をつけることができますか？

私がコンサルティングを行なう時に、最も大切にしているのが「**3現主義**」です。

3現主義とは、「**現場・現物・現実**」でリアルに物事をとらえることが大切だという考え方です。3現主義にのっとって、コンサルティングする会社で働く人の行動を観察していると、見えてくることがいくつかあります。

「表情が硬い」「笑顔の人が少ない」「声かけ、問いかけが少ない（冗談は飛び交わない）」「人の話を聴くことが上手くない」など、「人と人とのかかわり」が希薄なのです。

いま挙げた要素だけでも「不健康な職場」のイメージが湧いてきます。

企業でコンサルティングをすると、すぐに「解決策（HOW）」を求められます。

しかし、私は、**「なぜ、このような状況をつくり出しているのか？（WHY）」**を重視します。そして、組織の問題をあぶり出して、働く人の感情値に合致した具体的な「行動変革」のポイントを探っていくのです。

組織における問題の9割は「コミュニケーション」にあります。人と人とのかかわりに課題があるのです。

「修正力」の3つのアプローチの1つである「基本を見直す」から考えた時、人と人のかかわりは、どのような姿が理想なのでしょうか？

人間とは、人の「間」と書かれているように、集団で生きる生き物です。ですから、相手を尊重して人間関係を築くことが基本になります。

相手との「差」ではなく、**平等の立場で「違い」を尊重することが重要**なのです。

「5分間トーク」で相手の話を積極的に聴こう

ある企業から、「職場の雰囲気を改善して、社員のやる気を高めたい」という依頼を受けた時のことです。

私がその企業で行なった具体的な施策は、「**5分間トーク**」を実践することでした。

5分間トークとは、5分間という決められた時間の中で、テーマを決めて、自由闊達に話をするというものです。「自分の興味のある話題」や「日頃、相手に対して思っている長所」など、テーマは何でも構いません。

私が一方的に解決策を提示したわけではありません。メンバー全員で「人と人とのかかわり」の基本を見直し、やり方を少し変える、できることからやるという「修正力」の3つの行動をもとに、話し合って具体的な施策にしていきました。

5分間トークで1つルールがあるとすれば、「**相手の話を否定せずに、積極的に聴く**」ことです。人は誰でも、「自分のことを話したい」という欲求を持っています。その欲求を、お互いに満たしてあげることが重要なのです。

5分間トークは、様々なビジネスシーンで使える方法です。その企業で実際に出たテーマは、主に次の5つでした。

1、仕事の進め方の理解度を確認し合う。

2、相手の良いところを具体的に伝え合う。

3、相手に耳の痛いことを伝えて、成長につなげる。
4、仕事の仕方をアドバイスする。
5、上司も部下も、お互いに「報・連・相」する。

こうしたテーマをもとに、5分間で集中して話をし、意見を出し合うのです。
最初は、戸惑ったり、照れながら話す人が多いのですが、慣れてくると、次第に話が弾んでいきます。時には、話が白熱して、5分ではもの足りなくなるケースもあるほどです。

普段、必要最低限のコミュニケーションしか行なっていない職場ほど効果はてきめんで、**社員たちの表情が明るくなり、意欲的な姿勢が見られる**ようになります。

また、仲間意識が醸成され、チームワークがよくなることも特徴です。

人は、相手と「話す」ことで、元気、活気、勇気など、「気」の部分を高める生き物なのです。

ぜひ、あなたの職場でも、「5分間トーク」を実践してみてください。チームメンバーのやる気が見違えるように高まります。

6

「自分のベストを尽くす」――それがリーダーシップの基本

私は様々な業界、会社にお邪魔して「リーダーシップ開発」をテーマにコンサルティングや研修を行なっています。その現場でつねづね感じるのは、「リーダーシップという言葉の解釈は、企業ごとに、人それぞれに違う」ということです。

お会いする管理職の方たちに、「リーダーシップという言葉にどんな印象を持ちますか?」と質問をすると、様々な答えが返ってきます。

「人を引っ張ること」
「部下を管理すること」
「人として、強くあること」
「人として、正しい姿を示すこと」

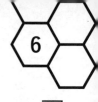

「部下の質問にすべて答えられること」

みなさん、リーダーシップという言葉に自分なりの「固定観念」を持っています。

次に、「リーダーシップを発揮している人物」について質問をします。すると、

「京セラを創業し、ＪＡＬを再建させた故・稲盛和夫」

「ソフトバンクグループ会長の孫正義」

「青山学院大学陸上競技部監督の原晋」

これまた、様々な名前が挙がります。共通点は、「結果を出している」こと。つまり、「結果を出す」ことが、一般的なリーダーシップの評価と言えます。

リーダーとは「人の強みを認め、活かせる人」のこと

じつは、**リーダーシップとは、成功や業績などの結果を指すものではありません。**

「リーダーシップ」の本来の定義とは、次のようになります。

・リーダーシップは、1人が発揮するものではなく、全員が発揮するもの。

・リーダーシップとは、「人を引っ張る・管理する」のではなく、「人の強みを認め、活かす」こと。

・リーダーシップとは、いま置かれている状況でベストを尽くすこと。

このように私が説明すると、管理職のみなさんは目からウロコが落ちたように、「固定観念の呪縛」から解放されていく様が見てとれました。

リーダーシップは、「結果」を残した人のものではありません。

リーダーシップは、1人ひとりのものです。新人は新人なりに、管理職は管理職なりに、発揮すべきリーダーシップがあるのです。

1人のリーダーが、部下を引っ張っていったり、背中を見せて率先垂範したりすることとも違います。人の個性や強みを無視して、人を型にはめようと「管理する」こととも違います。

リーダーシップとは、**人の強みを認め、人の強みを活かす**ことにほかなりません。

そして、チームが進むべき方向にベクトルを合わせるようにするのです。

だから、リーダーシップは、つねに「プロセス」の中に存在します。いま、置かれている状況でベストを尽くし、他者や組織、社会に貢献することが本質です。

リーダーシップは、「自分が主人公」となって発揮すべきものです。

「もっと効率的に仕事を回すために、メンバーで話し合いをしよう」

「最近チームの雰囲気が悪いので、俺がムードメーカーになろう」

「部長は忙しそうなので、報告は1分にまとめて伝えよう」

こうした、積極的な考え、提案、働きかけによって、相手に「影響を与える」ことすべてがリーダーシップなのです。

まずは、「自分の意見をきちんと言う」ことからリーダーシップは発揮されます。

「いま、この状況で自分は何ができるか?」を自らに問いかけて、行動を起こしてみてください。それが、**あなたが発揮すべきリーダーシップ**です。

企画協力　ネクストサービス(株)
　　　　　松尾昭仁
本文DTP　佐藤正人（オーパスワン・ラボ）

本書は、小社より刊行した単行本を文庫化したものです。

大西みつる（おおにし・みつる）

一九六一年大阪府生まれ。人材・組織開発コンサルタント。株式会社ヒューマンクエスト代表取締役社長。立命館大学経営学部客員教授。立命館大学経済学部卒業後、本田技研工業に入社。鈴鹿硬式野球部でプレーした後、マネージャー、監督を歴任。チームを都市対抗野球大会で日本一に導く。社業に専念してからは、日米双方で人材開発や管理職のリーダーシップ開発に取り組む。二〇〇九年、株式会社ヒューマンクエストを設立。大手民間企業を中心に年間延べ四五〇〇人以上の管理職層と向き合う日々を送っている。研修実績は、SMBCコンサルティング、全日空、アステラス製薬、ハウス食品、日本テレビ、キヤノン、スズキ自動車、NTTドコモ、江崎グリコ、アイシン、東京ガス、山善、デンソー、JCB、ネスレ日本などの大手民間企業をはじめ、ベンチャー企業及び各種団体多数。

知的生きかた文庫

結果《けっか》を出《だ》す人《ひと》は「修正力《しゅうせいりょく》」がすごい！

著者　大西《おおにし》みつる
発行者　押鐘太陽
発行所　株式会社三笠書房
〒一〇二―〇〇七二　東京都千代田区飯田橋三―三―一
電話〇三―五二二六―五七三四〈営業部〉
〇三―五二二六―五七三一〈編集部〉
https://www.mikasashobo.co.jp
印刷　誠宏印刷
製本　若林製本工場

ISBN978-4-8379-8824-3 C0130

知的生きかた文庫

人生うまくいく人の感情リセット術

樺沢紫苑

この1冊で、世の中の「悩みの9割」が解決できる！　大人気の精神科医が教える、心がみるみる前向きになり、一瞬で「気持ち」を変えられる法。

マッキンゼーのエリートが大切にしている39の仕事の習慣

大嶋祥誉

「問題解決」「伝え方」「段取り」「感情コントロール」……世界最強のコンサルティングファームで実践されている、働き方の基本を厳選紹介！　テレワークにも対応‼

最高のリーダーは、チームの仕事をシンプルにする

阿比留眞二

すべてを〝単純・明快〟に——花王で開発され、著者が独自の改良を重ねた「課題解決メソッド」を紹介。この「選択と集中」マネジメントがあなたのチームを変える！

コクヨの結果を出すノート術

コクヨ株式会社

日本で一番ノートを売る会社のメソッド全公開！　アイデア、メモ、議事録、資料づくり……たった1分ですっきりまとまる「結果を出す」ノート100のコツ。

頭のいい説明「すぐできる」コツ

鶴野充茂

「大きな情報→小さな情報の順で説明する」「事実＋意見を基本形にする」など、仕事で確実に迅速に「人を動かす話し方」を多数紹介。ビジネスマン必読の1冊！

C50474